Y Goron yn y Chwarel

"Mynd i fyw mewn hen dwll chwarel
fyddai galla inni i gyd!"

Myrddin ap Dafydd

Gwasg Carreg Gwalch

Argraffiad cyntaf: 2019

Rhif Llyfr Safonol Rhyngwladol:
978-1-84527-707-9

Cyhoeddwyd gyda chymorth Cyngor Llyfrau Cymru

Dylunio: Eleri Owen
Llun clawr: Chris Iliff

Cyhoeddwyd gan Wasg Carreg Gwalch,
12 Iard yr Orsaf, Llanrwst, Dyffryn Conwy, Cymru LL26 0EH.
Ffôn: 01492 642031
e-bost: llyfrau@carreg-gwalch.cymru
lle ar y we: www.carreg-gwalch.cymru

Argraffwyd a chyhoeddwyd yng Nghymru

Mae'r nofel hon wedi'i hysbrydoli gan hanes cuddio casgliadau o gelf a thrysorau Llundain yn Chwarel Bwlch Slatars, Manod, Blaenau Ffestiniog yn ystod yr Ail Ryfel Byd

Prolog

Lerpwl, 30 Awst 1940

Roedd y nos yn olau. Yr un fath â'r noson cynt, roedd seirenau sgrechlyd wedi rhwygo tawelwch cwsg y ddinas. Yna, clywyd murmur trwm peiriannau'r awyrennau. Cyn hir, roedd gynnau'r dociau yn tanio a thaflegrau goleuo yn disgyn fel glaw o amgylch targedau'r *Luftwaffe*.

Noson arall o weld awyrennau yn ymosod ar Lerpwl. Ardal y dociau oedd yn eu tynnu yno heno. Ar afon Merswy, byddai llongau'n cario bwyd, offer a nwyddau i'r milwyr yn y rhyfel yn erbyn Hitler. Ar hyd y dociau roedd stordai eang. Tu ôl i'r stordai roedd strydoedd culion o dai teras lle roedd y gweithwyr a'u teuluoedd yn byw. Er mor fychan oedd y tai, roedd y teuluoedd yn fawr. Ambell dro, byddai teulu arall yn byw yn y seler.

Clywodd Sardar y bomiau trymion yn ffrwydro yn ardal y dociau. Gwelai fflamau'n codi wrth i'r bomiau tân gydio yn y stordai. Doedd dim amser i'w golli. Eu strydoedd nhw fyddai nesaf.

"Sardar! Sardar! Paid â sefyll yn fan'na'n breuddwydio!" Ei fam oedd yn pwnio'i fraich, yn ei yrru o'r cwrt sgwâr lle roedden nhw'n rhannu tap dŵr a thŷ bach drwy'r porth i'r stryd o dai teras.

"Mam! Wyt ti wedi cloi'r drws?"

"Drwy'r to nid drwy'r drws mae'r perygl heno, Sardar," atebodd hithau. Yna rhoddodd ei braich am ei ysgwydd. "Tyrd. Does gennym ni ddim byd mwy gwerthfawr na'n bywydau."

Rhedodd y ddau i'r stryd. Clywent sgrechfeydd y peiriannau tân a chwibanau wardeiniaid yr ARP. Yna, chwalwyd yr awyr gan ffrwydrad anferth a chrynodd y ddaear o dan eu traed. Gwelsant fflamau oren a glas yn llamu yr ochr draw i gribau tai eu stryd.

"Jordan Street oedd hon'na. Brysia, Sardar!"

Yr un fath â'r noson cynt, roedd teuluoedd wedi hanner eu gwisgo yn hanner rhedeg o'u terasau am y lloches. Trodd Sardar a'i fam i'r dde ym mhen y stryd a gwelsant fod y dyrfa ddu yn dewach yno. Roedd rhai mamau'n cario'u plant. Roedd rhai plant yn droednoeth. Ychydig iawn o dadau oedd i'w gweld. Meddyliodd Sardar am ei dad yntau oedd erbyn hynny yn cysgu yn y felin gotwm yn Oldham gyda rhyw ugain o ddynion eraill er mwyn bod yn agos at eu gwaith yn y bore.

Roeddent bellach yn cyrraedd croesffordd ac roedd ôl y bomiau i'w gweld yn glir arni. Roedd y tŷ ar y gornel wedi diflannu. Gorweddai trawstiau yma ac acw yn llosgi yng nghanol y rwbel. Ar dalcen y tŷ agosaf i lawr y teras, gwelodd bapur wal, drws llofft a chôt nos rhywun yn crogi ar gefn y drws. Roedd darnau o frics a rwbel ar y stryd. Llithrodd Sardar ar lechen annisgwyl o dan ei esgid nes disgyn ar ei hyd.

"Cwyd, Sardar! Wyt ti'n iawn?"

Nodiodd ar ei fam. Cododd heb lol. Estynnodd hithau ei llaw iddo, ond roedd yn rhy hen i gydio ynddi erbyn hyn.

Roedd yn iawn. Dechreuodd redeg eto.

"Dydi'r lloches ddim yn bell rŵan," meddai'i fam. "Pen y stryd yma a throi i Jamaica Street."

Roedd swyddog mewn ofyrôls tywyll a helmed yn chwifio'i freichiau yn y pellter, yn chwythu'i chwiban a galw ar bawb i frysio.

Gwelodd Sardar ddau blentyn yn rhedeg yn wyllt o'i flaen ac yn taro yn erbyn hen wraig oedd yn ceisio hel ei thraed yn fân ac yn fuan am y lloches. Safodd yn ei chwman ar ôl yr ergyd, oedd wedi'i throi i wynebu'r ffordd y daeth. Cyrhaeddodd Sardar ati a gafael yn ei braich.

"Y ffordd yma, Misus," meddai, gan ei throi'n ôl i gyfeiriad y lloches.

"Hei!" meddai'r hen wraig yn wyllt. "Be wyt ti'n neud i mi'r crinc bach brown? Gwll fi, y pen tywel!"

"Ffordd acw mae'r lloches," ceisiodd Sardar egluro.

"Dwi ddim isio dy fysedd budur di yn agos ata i!" sgrechiodd yr hen wraig.

"Tyrd, Sardar. Gad iddi," meddai ei fam. "Rhyngddi hi a'i phethau."

"Help!" gwaeddodd Sardar at ŵr a gwraig oedd yn nesu atyn nhw ar y stryd. "Mae'r hen wraig yma angen help i gyrraedd y lloches!"

"Gad hi efo ni, lad," meddai'r gŵr. "Dewch efo ni, Mary Kelly."

"Y bobol dywyll yma ym mhobman," grwgnachodd Mary. "Ddim rhyfedd fod Hitler yn ein bomio ni."

Cydiodd ei fam ym mraich Sardar a chyn hir roedden nhw wrth ddrws y lloches.

"I lawr y grisiau," meddai'r swyddog. "Gwnewch le, gwnewch le. Ewch ymlaen i'r stafelloedd pella. Gadewch y rhai agosa i'r hen bobl."

Wedi iddyn nhw fynd i lawr y grisiau, roedd y concrid uwch eu pennau'n pylu sŵn y bomiau'n ffrwydro. Cerddodd y ddau ymlaen ar hyd coridor lled dywyll, gyda'i fam yn dal yn dynn ym mraich Sardar o hyd.

Troi i'r dde, ac i mewn i ystafell a'i nenfwd yn isel. Eisteddai amrywiaeth o bobl a phlant ar feinciau. Roedd rhai'n pwyso ar gyrff eu mamau yn ceisio cael llygedyn o gwsg yng nghanol yr hunllef. Cydiai rhai o'r oedolion mewn mygiau llawn a'u llygaid yn wag.

"Panad!" meddai hen ŵr wrth y bwrdd yn y gornel lle roedd stof nwy, tebot mawr a rhes o fygiau mawr, gwyn.

"Gwan fel pwll o ddŵr glaw, mae arna i ofn," meddai wedyn, gyda gwreichionen yn ei lygaid. "Te yn brin. Ac mi fydd yn brinnach rŵan efo'r stordy cistiau te wedi'i chael hi ar y docs! Ond o leia mae'n gynnes ..."

Estynnodd ddau fyg i Sardar a'i fam.

" ... Mor gynnes â'r croeso sy'n cael ei gynnig ichi. Dim siwgr, chwaith. Rydan ni'n rhy dlawd, mae arna i ofn. Mae stwff ffatri Tate an' Lyle i gyd yn mynd i Lundain! Ond dyna fo, rhaid i'r tlawd helpu'r tlawd ar adeg fel hyn."

Eisteddodd Sardar ar fainc. Crymodd ei gorff a chymryd cegaid o'r te llwyd, chwerw.

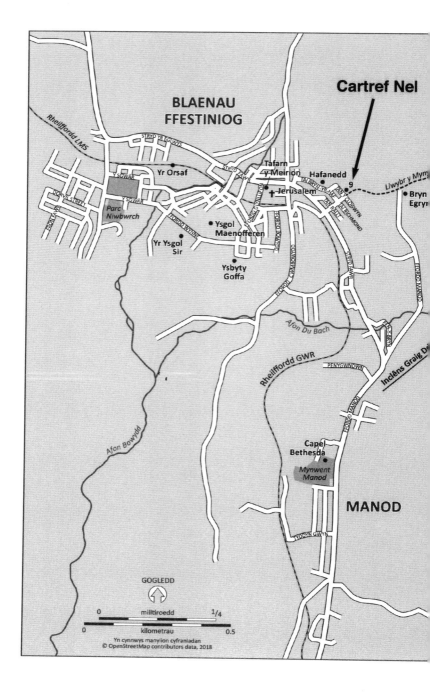

Rhan 1

IFACIWÎS

— 1940 —

Pennod 1

Blaenau Ffestiniog, Medi 1940

Mae rhai mynyddoedd fel petaen nhw wedi'u creu o glai. Dwylo llyfn fu'n eu siapio, yn mowldio'r llethrau a'r copaon yn addfwyn a moel. Ym mro Ffestiniog, pawennau oedd gan y crochenydd. Ei winedd a ddefnyddiodd i grafu clogwyni, creigiau noeth, cribau a thomenni llechi yr ardal.

Yn ôl ei harfer bob bore, pan agorai Nel Manod giât buarth cefn ei chartref yn rhif 9 Teras Tan y Clogwyn, edrychai ar y creigiau ysgythrog oedd yn codi uwch ei phen yn gyntaf. Oedd y cymylau'n isel? Oedd y cribau'n glir?

Wedyn cip i lawr dyffryn Maentwrog tua'r môr i weld pa dywydd oedd ar ei ffordd y diwrnod hwnnw. O'r cyfeiriad hwnnw y cyrhaeddai'r gwynt a'r glaw neu'r awyr las, fel arfer.

"Hym, ddim rhy ddrwg heddiw, Siw," meddai wrth yr ast fach Jac Russell oedd wedi gwibio heibio iddi, ac yn anelu am y tir gwyllt o boptu'r llwybr a'r nant a ddeuai i lawr y llethr o droed y domen rwbel.

Agorodd giât goch yng nghefn y tŷ agosaf ati yn y rhes. Daeth Gwilym Lewis i'r golwg mewn crys heb goler.

"'Di hwn'na ddim yn neud ei fusnes yn fy nhatws i, gobeithio," meddai'r cymydog. Roedd darn o dir comin yn taro ar dalcen 9 Tan y Clogwyn ac er bod y graig yn agos i'r wyneb, roedd Gwilym wedi plannu tatws yno 'at achos y rhyfel'. Hyd yma, ni welsai unrhyw un ef yn rhannu'r tatws â neb arall.

'Gwil Gwyneb Lemon' oedd ei enw yn y chwarel, cofiodd Nel.

"Ast ydi Siw," meddai Nel, mewn llais mor annwyl â phosib. "Mae hi'n lân iawn, Gwilym Lewis, i feddwl ei bod hi mor ifanc."

Edrychodd y ddau ar y daeargi yn synhwyro'r brwyn a chrawiau'r llwybr.

"Hy!" oedd sylw Gwilym gan droi ar ei sawdl a mynd yn ôl drwy'r giât.

Camodd Nel yn ôl i'r buarth a cherdded at y tŷ bach roedd hi a'r cymdogion ar yr ochr arall yn ei rannu. Wrth ochr y drws roedd tap. Llenwodd y tecell du yn ei llaw a dychwelyd i'r gegin gan alw ar yr ast fach i'w chanlyn.

"Tyrd, Siw! Tyrd, Siw bach!"

"Ti wedi penderfynu mai dyna rwyt ti am ei galw hi felly?" Roedd ei mam wrthi'n troi'r uwd ar y tân yn y gegin.

Gosododd Nel y tecell ar ei blât poeth ar y pentan.

"Mae'n enw iawn, dwi'n meddwl, Mam. Mae'r beth fach yn codi'i phen pan dwi'n siarad efo hi, beth bynnag."

"Mae'n ddigon tebyg i 'Susan' roedd y dyn RAF yna druan yn ei ddefnyddio, mae'n debyg."

"Ac mae o'n gweddu iti, yn tydi, Siw bach," meddai Nel gan roi mwythau i'r ast y tu ôl i'w chlustiau. "Dwyt ti byth yn deud siw na miw."

"Cael ei dychryn wnaeth hi yn yr hen le yna, mae'n siŵr iti."

Crwydrodd meddwl Nel at y maes awyr yn ne Lloegr lle

roedd Ieuan, ei chefnder, yn fecanic. Dyn peiriannau chwarel fu Ieuan, ond caeodd chwarel Cwt y Bugail yn ystod y wasgfa ariannol rai blynyddoedd yn ôl. Roedd Ieuan wedi cael prentisiaeth dda yn llanc yn y chwarel, wedi bod dan adain un o'r chwarelwyr mwyaf crefftus a deallus, a thyfodd i fod yn weithiwr medrus mewn sawl maes. Ar ddechrau'r rhyfel, cafodd ei alw i drin peiriannau awyrennau ac yn fuan cafodd ei hun i lawr yn ne Lloegr, yng nghanol y frwydr awyr fawr rhwng awyrennau Prydain a'r Almaen. Eiddo un o'r peilotiaid ifanc yn y maes awyr oedd Siw. Ond un prynhawn, ni ddaeth ei awyren yn ôl.

Doedd y gwersyll hwnnw yn sŵn awyrennau'n rhuo ddim yn lle i ddaeargi ifanc. Yr haf hwnnw, ac yntau ar ychydig ddyddiau o hoe, daeth Ieuan â Siw adref i'r Blaenau. O fewn dim, roedd gofal Nel am yr ast fach wedi gwneud yn siŵr fod gan Siw feddwl y byd ohoni hithau. Ysgydwai cynffon bwt y Jac Russell yr eiliad honno wrth dderbyn anwes ei meistres fach.

"Mam, 'di'n iawn imi fynd i'r pictiwrs efo'r genod y bora 'ma?"

"Oes gen ti bres?"

"Mi roddodd Taid chwe cheiniog bach imi neithiwr, Mam."

"Gobeithio dy fod ti wedi diolch yn iawn iddo fo."

"Do-o-o, Mam."

Tŷ mewn teras wrth lein y Great Western ym Mhenygwndwn, Manod, oedd cartref Taid a Nain Manod. Wedi marwolaeth Gai Jones, tad Nel, bu Nel a'i mam yn byw dan yr un to â nhw nes bod yr eneth yn chwech oed ac yna aeth y tŷ'n rhy gyfyng i'r pedwar ohonyn nhw, a'r ferch yn dal i brifio. Er bod Tan y Clogwyn rhwng Ffordd Manod a'r Stryd Fawr, ac yn llawer nes at ganol y dref, Nel Manod Jones oedd ei henw ac ym Manod roedd rhan o'i chalon o hyd.

"Pwy eith efo ti i'r pictiwrs?"

"Ddeudodd Gwenda, Nita a Beti y bysan nhw'n fy nghyfarfod ar waelod yr allt pe bawn i'n mynd efo nhw."

Merched Manod oedd y rheiny. Er bod Ysgol Manod yn bellach i ffwrdd o'i chartref newydd, daliai i gerdded i'w hen ysgol. Roedd ganddi flwyddyn arall yno.

"I ba bictiwrs ewch chi?"

"I'r Forum, 'de Mam."

Y sinema ar gornel y sgwâr oedd ffefryn y genod. Erbyn hynny roedd dewis o dair sinema ym Mlaenau Ffestiniog.

"Be gewch chi i'w weld yno?"

"Bing Crosby. Miwsical ydi hi."

"Wnei di'i dallt hi, Nel?"

"Wel, gwna siŵr, Mam. Mae fy Saesneg i'n iawn rŵan, 'sdi."

"Cymrwch ofal ar y ffyrdd yna."

Roedd y daith i'r Forum yn golygu croesi'r Stryd Fawr, cerdded ar y llwybr cefn ac yna dan bont y Great Western. Ymlaen ar hyd ffyrdd Bowydd a Wynne heibio'r terasau oedd yn wynebu ffordd yma a'r ffordd acw, ac yna draw i dir agored braf y parc ar y sgwâr. Doedd hi ddim yn daith i'w gwneud yn y nos, a'r blac-owt bellach wedi troi'r dref yn fagddu – ond roedd hi'n iawn ar fore Sadwrn, wrth gwrs.

Cyn mynd i lawr yr allt, aeth Nel â soseraid o lefrith i'r ast fach i'r buarth cefn. Dychwelodd i'r tŷ i nôl ychydig o grawiau cig moch iddi ond pan ddaeth yn ei hôl allan, gwelodd fod yr hen gwrcath du o dros y ffordd wedi gweld ei gyfle. Byddai'n aml yn eistedd ar lechen fawr dan gysgod llwyn yng nghlawdd y mynydd. Cadwai lygad slei ar ffenest neu ddrws agored, a doedd wiw i Nel na'i Mam adael unrhyw fwyd ar y bwrdd a throi gwar ar lygaid gwyrdd, culion y cwrcath. Gallent golli hanner powlennaid o bwdin reis dim ond drwy adael y drws cefn yn gilagored wrth roi dillad ar y lein.

Y tro hwnnw, roedd y bwystfil du, blewog wedi dod i lawr oddi ar ei orsedd, wedi chwythu a dangos dannedd miniog wrth glust Siw bach ac wedyn wedi dechrau llepian y llefrith o'r soser.

"Dos! Cer adra'r sglyfath!" Anelodd Nel gic at y cwrcath, ond roedd hwnnw'n rhy gyfrwys i gael ei gornelu ganddi. Bachodd o'r buarth yn ôl i'w le diogel o dan y llwyn.

"Mae'n cadw'r lle yma'n lân o lygod – gad lonydd iddo fo," meddai Gwilym, oedd yn ei ôl yn pwyso ar y giât goch erbyn hyn.

"Ac mae'n bwyta mwy na'r un llygoden a welais i 'rioed," meddai Nel o dan ei gwynt.

* * *

Cyn y ffilm fawr yn y Forum, roedd ffilm chwarter awr o newyddion y dydd yn cael ei dangos ar y sgrin. 'The London Blitz' oedd y testun mewn llythrennau breision, gyda cherddoriaeth uchel a llais dramatig y darlledwr yn adrodd yr hanes. "Five hundred German bombers filled the skies over London last night ..."

Syllodd Nel a'i ffrindiau ar y lluniau o lifoleuadau fel pensiliau gwynion yn symud drwy dywyllwch yr awyr. Ffrwydradau mawr llachar wedyn yn yr awyr ac ar y strydoedd. Lluniau pobl mewn llochesi, a wardeiniaid hetiau tun yn gofalu amdanyn nhw.

Ond y lluniau yng ngolau dydd drannoeth oedd fwyaf brawychus. Strydoedd yn ddim ond tomenni o lanast.

"Mae'r rhain fel tomenni Chwarel y Lord," sibrydodd Nita. "Dim ond mai brics nid rwbel chwarel ydyn nhw."

Roedd rhai o'r adeiladau'n dal i fygu a rhai ar dân o hyd, gyda'r ymladdwyr tân yn dal i geisio boddi'r fflamau â ffrydiau eu pibelli dŵr.

Twll mawr yn y ffordd, wedyn – fel mynedfa i lefel chwarel. Y camera'n closio ac yn dangos bom heb ffrwydro yng nghanol y twll. Hetiau tun yn ceisio cadw pobl draw a dynion mewn lifrai yn paratoi i danio'r bom a'i wneud yn ddiogel.

Pram a merch fach yn ei gwthio ar ei phen ei hun. Ei dillad yn flêr a'i hwyneb yn fudur a dim golwg o neb allai'i helpu.

Llun wedyn o ddyn sgwâr mewn côt ddu a het galed yn smocio sigâr ac yn cerdded o gwmpas y rwbel gyda chriw o filwyr.

"Churchill ydi hwn'na," sibrydodd Gwenda, gan adnabod y Prif Weinidog cyn i'r darlledwr ei gyflwyno.

Trodd y Prif Weinidog at y camera, gan wenu'n beryglus ar y gynulleidfa a gwneud arwydd 'V for Victory' gyda'i ddau fys.

Roedd yna do cyfan i'w weld ar y sgrin. Ond roedd y to yn

gorwedd ar y ffordd wrth ochr y tŷ y bu'n ei gysgodi cyn yr ymosodiad. Gardd wedyn – a lloches oedd i fod i ddiogelu'r teulu yn grybibion wrth ochr y rhesi llysiau.

Egwyl fer, ac yna dyma'r ffilm fawr ar y sgrin. Ond doedd gan ferched Manod fawr o flas gweld y dillad hafaidd na gwrando ar y caneuon joli ar ôl hynny.

"Be wnawn ni'r pnawn 'ma?" gofynnodd Beti wrth iddyn nhw gerdded allan o'r Forum i heulwen parc y sgwâr. Roedd y tywydd braf ar ddechrau Medi wedi tynnu llawer o'r hen ddynion i lawnt y bowls ac roedd yr anelu a'r craffu, yr ymlwybro disgwylgar ar ôl y belen olaf yr un fath â phob diwrnod hafaidd a fu yn y parc erioed. "Mae'n anodd dychmygu fod yna ryfel yn fan'ma, yn tydi?" meddai Nel. "Edrychwch braf ydi ar y plant 'cw ar y si-so!"

"Be am inni fynd ar y swings, genod?" awgrymodd Nita.

"Callia, hogan," meddai Gwenda. "'Dan ni ar ein blwyddyn ola yn yr ysgol gynradd rŵan, cofia."

Wedi gadael ei ffrindiau i fynd yn eu blaenau ar lwybr y Great Western, sylwodd Nel fod cefn cyfarwydd iddi'n cerdded i fyny'r allt am Tan y Clogwyn o'i blaen.

"Hei! Brei!"

Trodd y llanc i edrych dros ei ysgwydd a disgwyliodd am ei gymdoges gyda gwên. Brian Drws Nesa oedd hwn, un ar bymtheg oed ac yn gweithio yng ngwersyll yr awyrlu yn Llanbedr ger Harlech chwe diwrnod yr wythnos. Un da ei law oedd Brei, yn beiriannydd a saer ac yn cael ei brentisio ar y safle i glirio'r twyni tywod, codi barics a gweithdai. Roedd bŷs arbennig yn mynd â chriw ohonyn nhw o'r Blaenau i'r gwaith am hanner awr wedi chwech bob bore, ond roedden nhw'n cael dod adref at amser cinio ar ddyddiau Sadwrn.

"Ti 'di gorffen am wythnos arall, Brei?"

"Do, mae'r awyrennau a'r peilots wedi cyrraedd rŵan. Fyddan nhw ddim ein hangen ni yno'n hir eto."

"Lle'r ei di wedyn, Brei?"

"Camp Trawsfynydd fydd hi, ella. Mae hwnnw'n tyfu yn fwy ac yn fwy – ymarfer tanio a ballu. Aros i weld 'de, hogan – nid fi fydd yn cael dewis."

"Welson ni'r bomio yn Llundain yn y Forum."

"O, mae'n ddrwg arnyn nhw'n fan'no, hogan. Maen nhw wedi dechra ar Lerpwl ers rhyw wythnos, tydyn?"

"Ti'n meddwl bod ni'n saff yn Blaenau, Brei?"

"Pwy a ŵyr. Mae Dad yn mynd i bractis cymorth cynta pnawn 'ma. Cae Ysgol Manod. Masgiau nwy, sut i gario pobol ar stretjars aballu."

"Mae rhai'n deud y bydd yna seirens yma hefyd a bydd yn rhaid inni fynd o'n gwlâu i fochal yn rhywle."

"Dan bwrdd gegin ydi'r lle gorau iti, ti a'r ast fach yna sy gen ti."

"Wel, ia – fedra i ddim gadael Siw yn y tŷ ar ei phen ei hun, yn na fedraf?"

"Mynd i fyw mewn hen dwll chwarel fyddai galla inni i gyd!" meddai Brei, gan oedi am ennyd a throi i edrych ar greigiau'r mynyddoedd o gwmpas tref y Blaenau. "Weli di'r llechweddau yma? Maen nhw'n dyllau ac yn dwneli byw, cannoedd o filltiroedd o dyllau'r chwarelwyr yn y creigiau. Mi allet ti guddio dinas gyfan ynddyn nhw."

Pennod 2

"Be gymeri di, Creithia?" gofynnodd Alun John y cigydd.

"Nid i mi mae o, ond i'r doctor."

Sioffyr y doctor oedd Creithiau. Roedd olion y damweiniau a gafodd y tu ôl i lyw car y doctor pan oedd hwnnw ar frys yn amlwg ar ei ddwylo a'i wyneb. Roedd darn o'i glust ar goll pan gollodd y tro ar ffordd tomenni rwbel chwarel Maenofferen.

"Dangos dy docyn 'ta," meddai'r cigydd.

"Hanner pwys o gig moch i'r doctor a Mrs Edwards," archebodd Creithiau.

"Cardiau," meddai'r cigydd yn ddiamynedd.

"Bwyd hanfodol ar gyfer gwaith hanfodol," atebodd y sioffyr.

"Cardiau rashons fel pawb arall," mynnodd Alun John yn bendant. "Ella fod y doctor yn medru cael petrol i'r car tolciog yna rwyt i'n ei yrru'n wallgo ar hyd y dre yma, ond rhaid imi gael marcio'r cardiau yn y siop yma. Dyna'r drefn. Mae'r doctor yn gwbod gystal â neb."

Ers dechrau'r flwyddyn honno roedd y llywodraeth wedi deddfu mai dim ond chwarter pwys o gig moch a chwarter pwys o ham oedd i bob oedolyn bob wythnos. Gyda llongau'n diflannu dan donnau cefnfor Iwerydd oherwydd ymosodiadau llongau tanfor yr Almaenwyr, roedd rhai bwydydd yn prinhau. Dogn fechan i bawb oedd y drefn a byddai hyn i gyd yn cael ei gofnodi ar gardiau dogni. Chwarter pwys o fenyn y pen hefyd, a thri chwarter pwys o siwgr.

"Wyt ti wedi cofio dy gardiau, Mam?" sibrydodd Nel wrth wylio Creithiau'n troi o'r cownter yn waglaw. Hi a'i mam oedd nesaf yn y ciw. Roedden nhw wedi bod yn ciwio allan yn y stryd ers chwarter awr a doedd gan Nel ddim awydd mynd yr holl ffordd adref ac ailymuno â chynffon y ciw eto, fel y bu raid iddyn nhw ei wneud cyn iddyn nhw ddod i arfer â'r drefn newydd.

"Do, siŵr," atebodd ei mam, fel pe na bai wedi anghofio dim erioed.

"Wel, gobeithio y cei di iechyd da am amser hir," meddai Creithiau'n wawdlyd o'r drws. "Paid â dod at y Doc i ofyn am ffisig os na chei di!"

Estynnodd Anwen Jones ei chardiau hi a Nel, gofyn am ei harcheb a thalu amdani.

"Da iawn, Anwen Jones," meddai'r cigydd. "Doedd hyn'na ddim yn anodd, yn nagoedd? Pawb i blygu i'r drefn, dyna sy isio ar adeg fel hyn."

Beth ddaeth i'r golwg heibio cornel y cownter ond bwlteriar sgwâr y cigydd. Fel ei berchennog, doedd y ci ddim yn llun i'w osod ar y piano. Doedd ganddo ddim natur hoffus chwaith, a sylwodd Nel fod slefr yn diferu dros ymyl ei geg wrth iddo nesu ati a ffroeni ei choes.

"Dos!" meddai Nel gan gymryd cam yn ôl.

Cymerodd y bwlteriar gam ymlaen.

"Y!" Roedd safn wlyb y ci wedi cyffwrdd ei choes.

"Wnaiff o ddim byd iti, wyddost ti," meddai Gordon John, mab y cigydd a ddaeth i'r golwg o gefn y siop gyda'r peth tebycaf i wên ar ei wyneb erbyn hyn. "Clywed oglau ci arall mae o arnat ti, dyna i gyd. Churchill! Dos 'nôl i dy fasged, Churchill!"

Trodd y ci trwm yn ôl yn anfoddog a diflannu eto y tu ôl i'r cownter, ond nid cyn iddo daflu un olwg gyfrwys i fyny i lygaid Nel.

"Nesa!" meddai Alun John.

Roedd y ciw'n aflonydd ac yn dal i gynyddu.

"Be ydi 'Local Defence', Mam?" Gwelodd Nel y geiriau ar boster mewn llythrennau bras wedi'u hargraffu mewn inc coch. Llenwai'r poster y ffenest ar ddrws siop y cigydd.

"Be ydi be?" gofynnodd ei mam a phwyntiodd Nel at yr hysbyseb.

"Local Defence Volunteers," darllenodd hithau'n uchel. "Wn i ddim. Rwbath yn deud eu bod nhw'n cyfarfod bnawn fory yng nghapel Soar."

"O, canu emynau aballu, ia?" gofynnodd Nel.

"Go brin. Capel Soar, Rhiw ydi hwn'na. Mae hwnnw wedi cau."

"Ymarfer efo gynnau maen nhw." Dyn yn y ciw oedd yn digwydd gwrando ar y sgwrs.

"Gynnau yn y capel? Be nesa?!" meddai Anwen Jones.

Ond roedd y poster yn dal i gosi Nel Manod pan gyrhaeddon nhw'n ôl i 9 Tan y Clogwyn y prynhawn Sadwrn hwnnw.

"Dwi'n mynd i weld Brei Drws Nesa," meddai wrth ei mam.

"Hen soldiwrs ydi'r rhan fwya ohonyn nhw," esboniodd Brei. "Does yna ddim llawer mwy nag ugain mlynedd ers y

Rhyfel Mawr, yn nagoes? Wel, mae llawer o'r rhai fuodd yn y ffosydd yn Ffrainc yn rhy hen i fynd yn beilotiaid neu'n gomandos yn y rhyfel yma, ond maen nhw'n awyddus i neud rhwbath."

"A be ydi hynny?"

"Glywaist ti am Dunkirk, yn do?"

"Do. Ddechra'r haf, yndê. Y lle 'na yn Ffrainc lle roedd ein milwyr ni'n rhesi ar y traeth yn disgwyl am gychod i ddod â nhw adra? Welais i luniau hynny yn y Forum."

"Ia. Dechra Mehefin. Mi enillodd Hitler. Mi aeth ymlaen i gipio Paris. A dod â'i awyrennau i ogledd Ffrainc. Dyna sut maen nhw'n medru cyrraedd mor bell â Lerpwl a Birkenhead rŵan."

"'Dan ni'n colli'r rhyfel yma, felly."

"Mae yna lawer yn ofni mai glanio ym Mhrydain fydd yr Almaenwyr nesa."

"Croesi i dde Lloegr, felly?"

"Wel, mae rhai'n ofni y daw o drwy Iwerddon ac ymosod o'r gorllewin."

"Be! Glanio yng Nghymru? Lle? Morfa Harlech?"

"Dydi o ddim yn amhosib. Dyna pam fod Churchill wedi galw ar bawb sydd adra a ddim yn y fyddin i ddod at ei gilydd i gadw golwg, i drefnu amddiffyn pob pont, pob ffatri, pob porthladd."

"A dyna oedd y poster coch 'na?"

"Ia. Hen soldiwrs, a hogia rhy ifanc i fynd i'r fyddin. Dynion sy'n neud gwaith hanfodol fel dynion tân, glowyr, gweithwyr yn y gwaith powdwr yn Penrhyn a ..."

" ... doctoriaid?"

"Ia. A doctoriaid. Byddin i warchod ein cartrefi ni ydi hon. Yr 'Home Guard' mae rhai yn ei galw hi."

"Mae Alun John cigydd yn un, siŵr o fod."

"O ydi. Mae o'n sarjant, dwi'n siŵr."

"Ac mae'n siŵr fod Churchill y ci yno'n rhywle hefyd!"

"O, sgen Hitler ddim gobaith os fydd ci'r bwtsiar yn 'nelu amdano!"

* * *

Y nos Iau honno roedd genod Manod yn dod yn ôl o Aelwyd yr Urdd am saith o'r gloch. Ers mis Mawrth y flwyddyn honno, roedd yr Urdd wedi sicrhau canolfan i'r mudiad yn y Blaenau ac roedd aelodau o wahanol oedran yn cael defnydd o'r adnoddau ar wahanol nosweithiau. Wedi croesi Ffordd Cwm Bowydd, dyma nhw'n troi i fynd o dan bont y Great Western. Yno yn yr adwy gul o dan y rheilffordd roedd bwrdd crwn, tair cadair a thri dyn yn eistedd arnyn nhw. Roedd hi'n anodd gweld eu hwynebau, rhwng y tywyllwch o dan styllod y bont a'r capiau isel a wisgent am eu pennau.

Cododd un o'r dynion a dal y peth tebycaf i goes brwsh o'i flaen.

"Holt. Hŵ goes dde?" gwaeddodd.

Fferrodd Nel a synhwyrodd fod Beti, yr agosaf ati, wedi'i dychryn hefyd. Ond doedd Nita ddim wedi troi blewyn.

"Y goes dde ddudsoch chi, Corris Tomos?" meddai honno'n wawdlyd. "Be sy'n bod ar y goes chwith 'ta?"

Chwarddodd y ddau oedd yn dal ar eu heistedd wrth y bwrdd.

"Holt! Pwy wyt ti, dwêd? Hw goes … ?"

"Gôs nid goes, Corris bach," meddai un o'r dynion capiau.

"Wel, sut goblyn mae disgwyl imi gofio'r Saesneg crand yma?" cwynodd dyn y brwsh llawr.

"Ydi Heti Tomos yn gwbod eich bod chi wedi cymryd ei brwsh hi?" gofynnodd Nita yn yr un dôn ddireidus.

"Hei, sut mae hon yn nabod Heti?"

"Tydw i'n byw dros y ffordd ichi ar ffordd Tyddyn Gwyn!"

"Nita wyt ti! Wel …"

"A be dach chi'n neud yn llechu yn y cysgodion yma, Corris Tomos?"

Pwyntiodd y gŵr at y cadach a wisgai ar ei fraich gyda'r llythrennau 'LDV' wedi'u pwytho arno.

"Local Defence Volunteer," atebodd Nel.

"Da'r lodes," meddai Corris, gan gynnig salíwt iddi.

"Sut ar y ddaear dy fod ti'n gwbod hynny, Nel?" gofynnodd Gwenda.

"Brei Drws Nesa oedd yn deud bod yn rhaid gwarchod y pontydd a'r rheilffyrdd a ballu."

"Felly, ydi Hitler yn mynd i ddwyn y bont yma, Corris Tomos?" gofynnodd Nita. "Sut goblyn fyddan ni'n medru cerdded i'r dre wedyn?"

"Wel, nachdi siŵr, genod." Cododd un o'r dynion eraill oddi wrth y bwrdd. "Rydan ni wedi dod yma i neud yn siŵr y bydd y bont yma yn aros lle mae hi am byth."

"Wel diolch i'r nefoedd am hynny," meddai Nita.

"Ia, genod," meddai'r trydydd cap, gan ddechrau codi oddi ar ei stôl. "Diolch i ni ddylach chi, eich bod chi'n cael cysgu'n ddiogel yn eich gwlâu bob nos. Peidiwch â phoeni, gens, mi wnawn ni'n siŵr bod yr hen wlad yma'n saff."

"Be ydi busnes y bwrdd yma?" gofynnodd Gwenda.

"Y ford gron!" esboniodd Corris Tomos. "Dyna oedden ni'n ei ddeud cyn ichi gyrraedd rŵan. Glywsoch chi am y Brenin Arthur a Marchogion y Ford Gron, debyg?"

"Do siŵr," atebodd Beti. "Pawb yn gyfartal. Neb wrth ben y bwrdd."

"Wel, dyna sy 'na fan hyn," meddai Eric, yr ail filwr. "Tri wrth ford gron. Tri o hen werin y graig."

"Ie," cytunodd Robat, y trydydd milwr. "Hogiau'r undeb welwch chi, genod, pob un ohonon ni'n gyfartal yn neud ein gwaith wrth ford gron. Does dim sarjant na streipan yma, dim ond milwyr go iawn."

Wrth sythu i roi salíwt, curodd ei ddwy droed yn ei unfan ar lawr. Clywodd y merched sŵn potel yn troi.

"Be giciaist ti rŵan, y ffŵl?" dwrdiodd Eric.

Rowliodd y botel o gysgodion y bont.

"O, potel o brown êl mae Marchogion Arthur yn eu hyfed y dyddiau yma, ia?" meddai Nita.

"Dwi'n siŵr mai bwrdd crwn o dafarn y Meirion ar y gongol acw ydi hwn hefyd," chwarddodd Beti.

"Dim ond diferyn bach i gadw'n gynnes," meddai Corris. "Mae'r nos yma'n hir i ni ar diwti fel hyn."

Plygodd i estyn am ei botel yntau wrth droed y bwrdd.

"Hen dro fod dy botel di wedi troi, Robat," meddai Eric, gan godi'i botel yntau. "Dy dro di i nôl rownd o'r Meirion, dwi'n amau dim."

Ar hynny, dyma waedd o'r llwybr yr ochr draw i bont y rheilffordd.

"Aten-shŷn! Everything in order?"

Cyfarthodd ci.

Sythodd y tri a sefyll yn rhes.

"Ydi siŵr, bob dim yn iawn. Noson braf," meddai Robat.

"No, no. You should challenge me!" gwaeddodd y llais gan nesu. Daeth Alun John y cigydd a Churchill y bwlterier i'r golwg. Gwisgai'r cigydd siaced frown, fotymog a thair streipen wen ar ei llawes.

"Halt. Hŵ goes dde?" gwaeddodd Corris Tomos gan ddal ei frwsh yn wyneb y bwlteriar.

"Hŵ goes dde,

Hŵ goes chwith,

'Dan ni'n mynd adra if iw plith," meddai Nita, gan basio'r gwarchodwyr. "Dowch, genod."

"Hy, genod Manod!" ebychodd Alun John.

Pennod 3

"Mae 'na hogyn du newydd ddod allan o'r steshon!" Idwal Siop Bapur ddaeth â'r newydd i griw'r cyfarfod plant yn festri capel Jerusalem yn gynnar nos Lun.

"Du?" gofynnodd Sali.

"Wel, brown tywyll 'ta."

"Browniach na Mistar Kahn, siop bob dim yn Neuadd y Farchnad?" gofynnodd Gwynfor.

"Ydi. Browniach." Ffoadur o Armenia oedd Mr Kahn, oedd wedi cyrraedd o Dwrci pan aeth yn ddrwg ar bobl y wlad honno wedi diwedd y Rhyfel Mawr. Fel pawb fyddai'n symud i Stiniog, roedd Mr Kahn wedi dysgu Cymraeg yn gyflym, ac yn annwyl iawn gan bawb yn y dref.

"Ac roedd ganddo fo gadach am ei ben," ychwanegodd Idwal.

"Oedd o wedi brifo?" holodd Nel. Er bod Nel wedi dal i fynd i Ysgol Manod, roedd hi'n mynd i'r capel a'r ysgol Sul agosaf at eu cartref yn Tan y Clogwyn, sef Jerusalem ar y Stryd Fawr. Yno roedd ei 'ffrindiau Stiniog' hi, sef Sali, Delyth, Idwal a Gwynfor.

"Wel, doedd yna ddim gwaed i'w weld ar y cadach."

"Ar ei ben ei hun oedd o?" holodd Delyth.

"Na, roedd yna griw ohonyn nhw – llond dosbarth, faswn i'n deud, ond eu bod nhw o wahanol oed hefyd. Roedd pob un yn cario bag bychan ac roedd 'na ddarn o bapur yn sownd ar bob côt. Ond fo oedd yr unig un brown."

"Dwi wedi clywed am blant felly," meddai Sali. "Ifaciwîs ydyn nhw, saff ichi."

"Be ydi'r rheiny?" holodd Gwynfor.

"Plant yn cael eu gyrru o'u cartrefi yn y dinasoedd sy'n cael eu bomio," meddai Sali.

"Am nad oes ganddyn nhw dai?" gofynnodd Delyth.

"Wel, ia – rhai ohonyn nhw, ella. Ond rhag iddyn nhw gael eu brifo gan eu bod nhw'n dal i fomio!"

"Dwi wedi gweld lluniau'r llanast yn y papurau yn y siop acw," meddai Idwal. "Mae yna olwg ddychrynllyd yno."

"Ella mai wedi cael ei daro yn ei ben adeg y bomio roedd yr hogyn brown," cynigodd Nel.

"Oedd o'n siarad Cymraeg?" gofynnodd Gwynfor.

"Chlywais i mohono fo'n deud dim byd," meddai Idwal. "Ond faswn i ddim yn meddwl fod yr un ohonyn nhw'n medru Cymraeg – dim ond newydd gyrraedd maen nhw, yndê?"

Ar hynny cyrhaeddodd Heulwen Lloyd y festri a chyfarch y criw cyn tynnu'i chôt na dim.

"Pa hwyl sydd arnoch chi, blant? Reit, rhaid i ni fynd at yr organ yn y capel heddiw i ymarfer ar gyfer gwasanaeth Diolchgarwch pobol ifanc y capel. Maen nhw isio'r festri yma ar gyfer trefniadau'r rhyfel."

"Ydi'r rhyfel yn cyrraedd Stiniog yma, Mrs Lloyd?" gofynnodd Gwynfor.

"Mae'n effeithio ar bawb ohonon ni'n barod yn tydi, Gwynfor. A gwaeth yr eith petha. Ond trefniadau diogelwch plant sy ganddyn nhw heddiw, felly does dim angen ichi bryderu."

"O, yr ifaciwîs ia?" meddai Sali.

"Ydach chi wedi clywed amdanyn nhw? Mae'n debyg bod yna griw o Lerpwl yn dod yma i aros am dipyn. Mae dociau Lerpwl a Birkenhead yn dioddef yn arw ers dyddiau rŵan."

"Mae Idwal wedi'u gweld nhw y tu allan i'r steshon gynnau, Mrs Lloyd," meddai Nel.

"Do wir? Wel, maen nhw i ddod yma i gael eu hailgartrefu. Mae pob un i fynd i aros i gartre rhai sydd ar y rhestr o dai lle mae yna lofft sbâr."

"Felly, mi fyddan yma am sbel?" gofynnodd Delyth.

"Byddan. Mi fyddan yma am fisoedd. Pwy a ŵyr pa mor hir y bydd y rhyfel yn para. Reit, drwodd â ni."

Wrth yr organ yn y capel, cyflwynodd Idwal ei ddarn o newyddion am y bachgen brown i'r athrawes ysgol Sul.

"O, synnu dim," meddai Heulwen Lloyd. "Mae gan Brydain Fawr diroedd ym mhob rhan o'r byd ac maen nhw'n symud pobol o un lle i'r llall fel maen nhw angen. Mae yna lawer o bobol o sawl gwlad mewn porthladd cymaint â Lerpwl."

"Ac roedd ganddo fo gadach am ei ben," meddai Idwal eto.

"Dach chi'n meddwl ei fod wedi brifo?" holodd Sali.

"Na, go brin," atebodd yr athrawes.

"Pam fydda fo'n gwisgo cadach am ei ben ac yntau ddim wedi brifo?" gofynnodd Nel.

"Mae pobol sy'n dilyn crefyddau gwahanol i ni yn gwisgo'n wahanol i ni weithiau," esboniodd Heulwen.

"Gwisgo'n grand i fynd i'r eglwys, dach chi'n feddwl?" gofynnodd Sali.

"Mae gennym ninnau ein dillad dydd Sul, yn does?" meddai'r athrawes. "Ond mae gwisg yn medru bod yn rhan o'r grefydd hefyd."

"Dwi'n gwbod!" meddai Idwal. "Mae gan Mr Griffiths Gweinidog goler gron, yn does?"

"Dyna ti. Dyna un arwydd. Mae yna rai yn dilyn crefydd yn India lle mae gofyn i'r bechgyn a'r dynion wisgo cadachau am eu pennau."

"Perthyn i'r rheiny mae'r bachgen brown oedd yn y steshon?"

"Mae'n fwy na thebyg. 'Tyrban' ydi'r enw ar y cadach. Mae gofyn iddyn nhw wisgo un bob amser maen nhw mewn lle cyhoeddus. Maen nhw'n tyfu eu gwalltiau yn llaes iawn ond dydyn nhw byth yn ei ddangos yn gyhoeddus. Adeg y Rhyfel Mawr diwethaf, roedd yna luniau milwyr y grefydd yma'n gwisgo tyrbans yn y ffosydd, hyd yn oed."

"Be? Oedden nhw'n gwisgo cadachau yn lle helmets? Ond roedd hynny yn beth peryg iddyn nhw!"

"Oedd, ond dyna pa mor gryf roedden nhw'n dilyn eu crefydd. Pobol o'r enw y Siciaid ydi'r rhain. Maen nhw'n dod o ran o ogledd India o'r enw Punjab – 'gwlad y pum afon'."

"Ydyn nhw'n cysgu yn eu tyrbans, Heulwen Lloyd?" gofynnodd Idwal.

"Maen nhw'n clymu'r gwallt llaes yn gwlwm ar y corun ac mae ganddyn nhw gap bach o'r enw 'patka' i'w osod ar hwnnw pan fyddan nhw yn y gwely neu yn y bath neu'n nofio."

"Sut ydach chi'n gwbod cymaint amdanyn nhw, Heulwen Lloyd?"

"Mi ddaeth un ohonyn nhw i gnocio ar ddrws y tŷ acw'r ha' diwetha."

"Be oedd o isio?"

"Dyna oedd ei waith – roedd yn cario cês o ddilladau ac yn cyrraedd llefydd efo'r trên a mynd o ddrws i ddrws i bedlera'r dillad yma."

"Ac mi wnaethoch chi brynu ganddo fo, Heulwen Lloyd?"

"Naddo. Doeddwn i ddim angen dim byd. Ond roedd gen i bechod drosto ac mi wnes i ofyn iddo fo oedd o isio paned."

"A gawsoch chi de efo fo?"

"Do. A dyna pryd y soniodd am ei wlad a'i bobl."

"Ac roedd o'n gwisgo tyrban?"

"Oedd. I gadw'i wallt yn lân, medda fo. Yn eu crefydd nhw, er nad ydi'r bechgyn na'r dynion yn torri'u gwalltiau, maen nhw'n gorfod golchi'u gwalltiau yn aml iawn. Mae hynny'n bwysig gan fod y Punjab yn wlad boeth iawn."

"Ella bod y bachgen efo'r tyrban welodd Idwal yn fab i'r dyn efo'r cês felly?"

"O, go brin," meddai Heulwen Lloyd. "Roedd y dyn gwerthu dillad yn byw wrth ymyl ffatri fawr ym Manceinion. Roedd ei deulu yn dal yn y Punjab ac roedd yntau yn dod yma i neud dipyn o gyflog am ei bod hi'n dlawd iawn arnyn nhw adra. Roedd yna lawer yr un fath ag o, medda fo – rhyw ddwsin ohonyn nhw yn byw mewn un tŷ, yn llenwi'u cês yn y ffatri bob nos ac wedyn yn crwydro'r wlad yn gwerthu bob dydd."

"Tramps ydyn nhw, felly?" gofynnodd Sali.

"Mae yna lawer o hanesion trist y tu ôl i'r tramps 'dan ni'n eu gweld yn crwydro'r wlad a chardota, cofiwch," atebodd

Heulwen Lloyd. "Pobol wedi bod drwy amser caled ydi llawer ohonyn nhw. Mae'r Siciaid yma o'r Punjab wedi gorfod gadael gwaith crefftus a swyddi cyfrifol oherwydd newyn a thlodi eu teuluoedd. Yng nghymdeithas y Punjab, mae pawb yn gyfartal, felly dydi'r doctor ddim yn edrych i lawr ei drwyn ar y dyn sy'n glanhau'r stryd."

"Mae'n siŵr ei bod hi'n anodd arnyn nhw," meddai Nel, "a'u teuluoedd nhw mor bell i ffwrdd."

"Anodd iawn, Nel. Mae'r petha yma'n digwydd, yn tydyn nhw? Mae 'na lawer o ddynion wedi gorfod gadael eu teuluoedd yn Stiniog oherwydd yr hen ryfel yma. A hyd yn oed cyn hynny, pan nad oedd yna alw am lechi a'r chwareli'n gorfod cau – roedd llawer o ddynion yn gadael eu teuluoedd yma a mynd i chwilio am waith yn y pyllau glo yn ne Cymru."

"Do siŵr – roedd tad Nita sy yn yr ysgol efo fi yn un," meddai Nel.

"Dyna sut mae hi ar draws yr hen fyd yma," aeth Heulwen Lloyd yn ei blaen. "Pobol dlawd, heb waith, yn gorfod symud a chwilio o hyd."

"Ond mae yna waith i bawb oherwydd y rhyfel yma rŵan, yn does?" meddai Gwynfor.

"Oes. Ac mae yna lawer mwy o symud hefyd. Ac nid dim ond y dynion. Meddyliwch am yr holl blant sy'n gorfod gadael eu cartrefi a'u teuluoedd oherwydd y bomiau sy'n disgyn ar Lundain ac ar Lerpwl a'r dinasoedd mawr yna. Ffoi am eu bywydau maen nhw."

Roedd rhyw sŵn yn y festri. Drws yn agor a chau. Lleisiau. Symud cadeiriau.

"Ewch chi i eistedd yn y rhesi wrth yr organ," meddai

Heulwen Lloyd. "Sali, rho gopi o'r llyfr emynau i bawb. Trowch at yr emyn 'Canaf yn y Bore', rhif 909. Fydda i'n ôl efo chi mewn dim. Dwi ddim ond yn piciad i weld os ydi'r rhain yn gwbod lle mae pob dim."

Drwodd yn y festri, gwelodd Heulwen Lloyd fod nifer o oedolion wedi cyrraedd, pob un yn cario ffurflen swyddogol ac yn eistedd mewn rhesi. Yn eu hwynebu roedd Rhys Parry o'r Ysgol Sir, gyda swp o bapurau ar y bwrdd o'i flaen.

"Popeth dach chi ei angen ganddoch chi, Mr Parry?" gofynnodd Heulwen Lloyd.

"Ydi, digon trefnus wir, a chysidro. Ym, lle mae'r tai bach, rhag ofn bydd rhai o'r plant angen mynd?"

"Drwy'r drws yna yn y cefn ac ar y dde."

"A tybed ga i eich trafferthu am lasiad o ddŵr – mae'n siŵr y bydd hi'n sesiwn go drom."

Pan ddychwelodd Heulwen Lloyd â gwydryn o ddŵr, gwelodd fod y plant yn cyrraedd. Deuent i mewn, pob un yn cario'i fag bach a golwg ar goll ar eu hwynebau. Roedd gan bob un o'r bechgyn gap am ei ben, ond gwelodd Heulwen fod un yn gwisgo tyrban.

"Dyna chi," meddai Heulwen, gan roi'r gwydryn o flaen Rhys Parry. "Fydda i drwodd os byddwch chi angen rhwbath arall."

Hanner awr yn ddiweddarach, roedd yr ymarfer ar ben a cherddodd y plant yn ôl i'r festri gan nad oedd drysau mawr y capel ar agor. Erbyn hyn, roedd rhai o'r ifaciwîs wedi mynd i'w cartrefi newydd yng nghwmni'r oedolion oedd wedi'u dewis i ofalu amdanyn nhw. Ond roedd y bachgen mewn tyrban yn dal yn y festri. Yn anorfod, trodd llygaid y plant i edrych arno wrth gerdded drwy'r festri. Fedren nhw ddim llai na syllu ar y bathodyn gloyw oedd ganddo ar ganol talcen y tyrban. Roedd llun llew yn ei ganol.

"Mrs Taylor," clywsant Rhys Parry yn mynd drwy'i restr. "Felly chi fydd yn gofalu am Daisy O'Neill. Dyma ichi'r papurau swyddogol, a dach chi'n gwbod lle rydw i os bydd yna rwbath. Daisy, you are to go with Mrs Taylor here."

Cododd y ferch gyda'r enw hwnnw ar y papur ar ei chôt a chododd gwraig o'r gynulleidfa i fynd i'w chyfarfod. Gwenodd Mrs Taylor a rhoi'i braich ar ysgwydd Daisy a chymryd y bag oddi arni'n ofalus.

Agorodd drws y festri yn sydyn, a daeth gŵr Arabaidd yr olwg gyda gwên lydan ar ei wyneb i mewn o'r stryd.

"Noswaith dda! Noswaith dda!" meddai, wrth gerdded rhwng y rhesi o seddau.

"Noswaith dda, Mr Kahn," meddai Heulwen.

"Dim ond galw i ddeud croeso wrth y plant bach newydd." Trodd i wynebu'r plant. "Croeso! That means 'welcome'! A rhywbeth bach i'w rannu. Tamaid i aros pryd! We have some great sayings in Welsh. That means 'a bite to wait for the big one'!"

Rhoddodd fag mawr o bethau da o'r siop ar y bwrdd o flaen Heulwen Lloyd. Tynnodd daffi triog o'r bag a'i ddal i fyny o flaen y plant.

"Losin du!" meddai. "Taffi triog. Fferins. Da-da. Mwynhewch!"

"Rydych chi'n garedig iawn, Mr Kahn."

"Dim o gwbwl! Dim o gwbwl! Pobol Stiniog wedi bod yn garedig iawn wrthyf fi. Dyma 'nghartref i erbyn hyn. Hen le bendigedig yw Stiniog!"

A cherddodd y gŵr bach llawen yn ei ôl allan i'r stryd.

"Dewch, blant, 'dan ni o dan draed fan hyn," meddai Heulwen Lloyd. Ond llusgo'u traed am y drws allan a wnâi'r dosbarth canu.

Dim ond un o'r ifaciwîs oedd ar ôl erbyn hyn, sylwodd Nel. Dim ond y bachgen a wisgai'r tyrban. Eisteddai'n llonydd, gan graffu ar y llawr o dan ei draed.

"Miss Marian a Miss Elen," meddai Rhys Parry. "Mae gen i eich enwau chi ar y rhestr yma a nodyn bod gennych chi lofft sbâr yn Hafanedd acw."

Oedodd Nel ym mhorth y drws. Roedd Hafanedd ar y ffordd i lawr o Dan y Clogwyn i'r Stryd Fawr. Roedd hi'n adnabod y ddwy wraig yn iawn.

"Oes," meddai Miss Marian. "Ond roedden ni wedi nodi ar y rhestr mai lle i eneth oedd gennym ni. Mi fasem wedi bod yn fodlon cymryd dwy chwaer, hyd yn oed."

"Wel, nid felly mae petha, fel mae'n digwydd," esboniodd Rhys Parry, gan edrych ar y bachgen unig yn y rhes flaen.

"Mae'n debyg y bydd rhagor o ifaciwîs yn cyrraedd ar hyn?" Ceisiodd Miss Marian fynd ar drywydd gwahanol. "Mi allwn ni ddisgwyl i weld pa blant fydd y rheiny?"

"Does gennym ni ddim amser i aildrefnu rhestrau," esboniodd Rhys Parry. "Yr enw ar eich cyfer chi yn Hafanedd ydi Sardar Singh Basra."

"Ond ..."

Cododd Miss Elen ar ei thraed a rhoi'i llaw ar ysgwydd ei chwaer.

"Mae croeso i'r bachgen efo ni, debyg iawn," meddai. "Mae'r bachgen wedi bod drwy'r felin yn barod, synnwn i ddim. Mi wnawn ein gorau drosto."

"Wn i ddim, na wn i wir," meddai Miss Marian.

Cerddodd tua'r blaen. Yna clywodd Nel lais Heulwen Lloyd yn ei siarsio.

"Nel – allan! Tyrd yn dy flaen! Maen nhw'n brysur yn fan hyn."

"O! Arhoswch funud!" Miss Elen oedd yn gweiddi ar eu holau. "Nel, rwyt ti'n mynd adra yr un ffordd â ni, yn dwyt? Beth am iti ddod i'n helpu ni i setlo'r bachgen yma acw? Mae gen ti fwy o Saesneg na ni, siŵr o fod ..."

Pennod 4

Y ddwy chwaer oedd ar y blaen wrth gerdded o festri Jerusalem i Hafanedd. Roedd yn dipyn o ryddhad i'r ddwy ohonyn nhw fod Nel yn medru rhyw ofyn cwestiynau a dweud pethau yn Saesneg.

"Mae o'n deud mai Sardar Basra ydi'i enw fo, Miss Elen – ond mae pawb yn ei alw yn Sardar."

"Sardar *Singh* Basra," cywirodd y bachgen hi.

"Singh?" ailadroddodd Nel.

"Yes. It's my middle name. In Punjab, every boy and man has the same middle name. It means lion."

"Singh – llew?" meddai Nel gan edych ar y llew ar y bathodyn ar ganol y tyrban.

"Llew?" meddai Sardar, a'i ynganiad yn berffaith.

"My name is Nel Manod Jones," meddai hithau. "Manod – my middle name – is the name of the village where I come from. Look, it's over there below that huge mountain."

"Manod," meddai'r bachgen. "Like me, your name helps you belong to where you come from."

"Sar-dar," meddai Miss Elen. "Wel, mae hwnnw'n enw digon hawdd ei gofio. Faint ydi'i oed o?"

Gofynnodd Nel yn Saesneg i'r bachgen a sylwodd ar ei acen wrth iddo ddweud ei fod yn cael ei ben-blwydd ymhen y mis.

"Un ar ddeg ydi o fis nesa. Mae'n siarad Saesneg yn debyg iawn i rywun o Danygrisiau!"

"Eleven is 'un ar ddeg' in Welsh," esboniodd Miss Elen i Sardar, gan ailadrodd y frawddeg.

"Un ... ar ... ddeg," meddai Sardar, ei ynganiad yn wych eto.

"Da iawn!" meddai Miss Elen. "Very good. We'll have you speaking Welsh in no time."

Gofynnodd Nel iddo a oedd yn medru siarad unrhyw ieithoedd eraill.

"Yes. Punjabi," atebodd. "And some Hindi and Kashmiri also. And English in Liverpool. And Welsh now, of course!"

"Pum iaith, Miss Elen!"

"Does dim rhyfedd ei fod yn dysgu'n gyflym, felly. Fydd o fawr o dro na fydd yn rhugl yn ein hiaith ninnau."

"Mater o raid," meddai Miss Marian braidd yn sychlyd. "Does gen i ddim amser i ddysgu Saesneg."

Roedden nhw'n dringo'r allt o'r Stryd Fawr at Hafanedd bellach.

"Dwed wrtho y bydd yn rhaid iddo dynnu ei sgidiau wrth y drws," mynnodd Miss Marian. "Hen sgidiau bechgyn yn waeth na dim i dreulio carped y grisiau ac mae'n rhaid i hwnnw bara tra byddwn ni."

"A gofyn iddo fo ydi o isio cig oer a phicyls i'w swper chwarel," meddai Miss Elen.

Rhwng cyflwyno trefn y ddwy chwaer a holi Sardar sut oedd pethau yn Lerpwl, a chanfod nad oedd ganddo frawd na chwaer, roedd y pedwar wedi cyrraedd y drws lle roedd yn rhaid diosg y sgidiau.

"Dewch chi'ch dau i fyny'r grisiau i weld y llofft," meddai Miss Elen. "Marian – wnei di hwylio'r bwrdd?"

"Dwi'n iawn cofiwch, Miss Marian," meddai Nel. "Mi fydd Mam wedi paratoi tamaid i mi erbyn y bydda i adra."

"Diolch byth am hynny," atebodd hithau'n sychlyd, "neu yn wyrcws Penrhyn y byddwn ni'n dwy."

"Hist rŵan, Marian," meddai Miss Elen o dan ei gwynt. "Mae pawb yn gwbod y cawn ni bres i'n helpu ni edrych ar ôl y plant yma."

"Ond faint fydd hwn yn ei fwyta, hogyn ar ei brifiant fel hyn?"

"Twt, twt. Dewch i fyny chi'ch dau."

Arweiniodd Miss Elen y ddau i fyny'r grisiau. Roedd Hafanedd yn dŷ braf ac roedd y ddwy chwaer yn dod o deulu reit gefnog, er bod Miss Marian yn tueddu i edrych ar bob ceiniog ddwywaith cyn ei gwario. Agorodd Sardar ei lygaid mewn rhyfeddod pan sylweddolodd fod yna ddŵr yn y tŷ, a thŷ bach, a bath hyd yn oed. Roedd ei lofft yng nghefn y tŷ yn weddol fechan ond eto'n braf iawn o'i chymharu â'r hyn roedd wedi arfer â hi yn nociau Lerpwl ac yn ei dref enedigol yn y Punjab.

Rhoddodd y bachgen ei fag bychan ar y gwely, ei agor a chwilio am lun ohono'i hun a gŵr a gwraig, a'i osod ar silff y ffenest.

"Mam a Dad?" holodd Nel.

"Yes, Mam and Dad, as they say in Liverpool."

Cafodd Nel ychydig o hanes y ddau – am waith y tad yn Oldham a'i fam yn aros yn Lerpwl am ei bod wedi cael gwaith yn paratoi bwyd mewn cantîn yn y dociau. Pam oedden nhw wedi dod yr holl ffordd o India i Lerpwl?

"No work in our town. Very poor. The cotton factory

closed and we come to Liverpool. Two years ago."

Gofynnodd Nel iddo pa mor ddrwg oedd pethau yn Lerpwl a chael disgrifiad byw o effaith y bomio.

Edrychodd Nel yn fanylach ar y bathodyn gloyw yng nghanol tyrban Sardar. Roedd y gair 'PUNJAB' o amgylch y llew ac roedd coron o bedwar llew yn eistedd yn wynebu pedwar cyfeiriad gwahanol ar dop y bathodyn. Roedd ar fin holi Sardar beth oedd arwyddocâd hwnnw pan aeth y bachgen â'r sgwrs ar drywydd gwahanol.

Gofynnodd oedd yna fomiau wedi disgyn ar Flaenau Ffestiniog.

Na, dim un oedd yr ateb. Ond be oedd yr holl rwbel ym mhob man?

"Oh that is the slate waste from the quarries," esboniodd Nel. "You know slates on roofs in Liverpool? They all come from quarries here in Wales."

Dangosodd Sardar friw ar ei law chwith i Nel.

"Look, I fell on Welsh slate in Liverpool during the bombing."

Ac adroddodd hanes y noson honno pan fu'n rhaid iddyn nhw redeg i'r lloches.

"So Welsh slate is very dangerous, yes?" meddai Sardar gyda gwên.

"My father. He used to work in the slate quarry," esboniodd Nel.

Synhwyrodd Miss Elen y cwmwl oedd ar ddod dros y sgwrs a rhoddodd ei braich am ysgwydd Nel.

"You see, Sardar," meddai'r wraig. "Nel's father was a 'creigiwr'. He climbed the cliff face inside the quarry in the mountain, hanging on rope, making holes to get big rocks out to make slate. And one day a big rock fell on him. And Nel lost her dad. That was six years ago?"

"Seven," meddai Nel. "I don't remember him much, but I will always remember what I hear about him."

Edrychodd y tri'n llonydd ar y llun teuluol ar silff y ffenest am ennyd.

"What is 'remember' in Welsh?" holodd Sardar.

"Cofio," atebodd Nel.

"Cofio," ailadroddodd Sardar yn dawel. "Yes, it's very important to cofio."

"What is the name of your mam and dad?" gofynnodd Nel.

"Kasram Singh Basra," meddai Sardar gan bwyntio at y gŵr. "And Te Kaur Basra."

"This is 'gwely'," meddai Miss Elen yn sydyn, yn clywed y cwmwl yn pasio heibio. Rhoddodd law ar y gwely, yna pwyntiodd at y ffenest. "And that is 'ffenest' … and this is 'drws' … and now we go 'lawr y grisiau' …"

Ailadroddodd Sardar pob gair newydd.

Wrth gyrraedd gwaelod y grisiau, trodd at Nel.

"What is 'thank you' in Welsh?"

"Diolch."

"Di-olchch …"

"Diolch," meddai Nel eto.

"Diolch." Cerddodd y bachgen i mewn i'r gegin lle roedd Miss Marian wrthi'n hwylio'r bwrdd. Aeth ati ac edrych i fyw ei llygaid a dweud:

"For the gwely – diolch. And what is food?"

"Bwyd."

"And for the bwyd – diolch."

"Da iawn, Sardar," meddai Miss Elen o'r drws. "You have only been here 'pum munud' and you have learned the most important word in Welsh already – diolch."

* * *

Uwch eu swper yn 9 Tan y Clogwyn, adroddodd Nel yr holl hanes wrth ei mam.

"Tŷ braf ydi Hafanedd, Mam. Doeddwn i erioed wedi bod i mewn yno o'r blaen."

"Ie, mi fu rhieini'r ddwy ohonyn nhw'n rheolwyr yn siop y Co-op am flynyddoedd. Mi wnaethon nhw'n dda i'r teulu. Ac mi fu'r genod yn dda wrthyn nhw hefyd, yn gofalu amdanyn nhw yn y cartre yna tra buon nhw."

"Ond mae'r ddwy ohonyn nhw'n weddol hen erbyn hyn?"

"Ydyn, yn eu chwedegau, y ddwy ohonyn nhw. 'Rioed wedi arfer efo plant, wrth gwrs. Dipyn o newid iddyn nhw ..."

"Wnaeth yr un ohonyn nhw briodi?"

"Na. Ond roedd Miss Elen yn canlyn am flynyddoedd, cofia. Mae rhwbath annwyl a thrist amdani hi o hyd. Gollodd hi Wil Llywelyn, ei chariad, yn y Rhyfel Mawr. Roedd o wedi bod yn y coleg ac ar fin mynd yn weinidog."

"O, dyna drist, Mam. Mae hi'n neud llawer iawn yn y capel o hyd, yn tydi?"

"Hi sy'n gofalu am y blodau, gofalu am y glanhau. Ydi'r beth bach, mae hi'n un o lawer iawn gafodd ergyd greulon yn yr hen ryfel yna."

"Ro'n i'n cael y teimlad nad oedd Miss Marian yn hapus iawn bod Sardar yn dod atyn nhw. Deud wnaeth hi nad oedden nhw wedi arfer efo bechgyn. Ond, rywsut, ro'n i'n cael y teimlad nad oedd hi'n awyddus i gael plentyn o India yn ei thŷ, am fod ei liw o'n wahanol!"

"Mae cael bachgen brown yma yn rhwbath diarth iawn i ni yn Stiniog, cofia," atebodd ei Mam yn ofalus. "Mae 'na bob math o betha'n cael eu deud am bobol liw a dwi'n siŵr nad ydyn nhw'n wir! Ond os nad wyt ti wedi dod ar eu traws nhw, os nad wyt ti'n eu nabod nhw, mae'r hen straeon yma yng nghefn dy feddwl di."

"Wel, mae ganddon ni gyfle i ddod i nabod Sardar rŵan, yn does, Mam?"

"Oes. Ti'n llygad dy le. A bechod na fydd o'n mynd i'r un ysgol â ti, yndê, Nel?"

* * *

Roedd y bechgyn a'r merched mewn dau adeilad ar wahân yn Ysgol Maenofferen, ond drannoeth, gwnaeth prifathro ysgol y bechgyn gynnal cyfarfod i'r ysgol gyfan ar ddiwedd y gwasanaeth boreol.

"Blant, mae'n siŵr eich bod chi i gyd wedi clywed am yr awyrennau sy'n bomio'r dinasoedd mawrion. Mae pethau'n mynd o ddrwg i waeth. Mae pobol gyffredin a phlant yn cael eu lladd wrth i'r adeiladau chwalu ac i strydoedd cyfan fynd yn wenfflam.

"Mae'r awdurdodau wedi penderfynu amddiffyn y plant drwy eu symud. Y bore 'ma mae dau ar hugain o blant newydd wedi cyrraedd ein hardal ni. Maen nhw'n aros mewn gwahanol gartrefi ar hyd a lled y Blaenau. Wyddon ni ddim pa mor hir y byddan nhw yma, ond er mwyn iddyn nhw setlo'n gynnar a medru deall beth mae pobol yn ei ddweud wrthyn nhw ar y stryd ac yn y siopau, bydd angen iddyn nhw ddysgu Cymraeg yn gyflym. Felly helpwch nhw gyda'r geiriau Cymraeg am bopeth.

"Mae pedwar ohonyn nhw'n ymuno gyda'r dosbarth plant bach, a'r gweddill yn cael eu rhannu rhwng Standard One a Six. Gwnewch yn siŵr eich bod chi'n groesawgar ac yn glên gyda nhw. Mae'n ddyddiau anodd arnyn nhw ac mae gofyn inni gofio hynny bob amser. Miss Roberts, wnewch chi ddod â nhw i mewn rŵan, os gwelwch yn dda?"

Agorodd Miss Roberts y drws ochr a rhoi'r arwydd i'r rhai oedd y tu allan i'r neuadd.

Gwyliodd yr ysgol gyfan ddau ddwsin o blant yn cerdded yn un rhes o'r coridor i flaen y neuadd. Cawson nhw eu rhoi i wynebu'r plant eraill. Synhwyrodd Sardar ryw sibrwd gwyllt yn mynd o un i un wrth iddo gerdded i mewn.

"Tawelwch, blant!" gwaeddodd y prifathro, a'i lygaid fel eryr.

"Gawn ni enwau pob un ohonyn nhw a'u hoedran, os gwelwch yn dda, Miss Roberts?"

Sibrydodd Miss Roberts y cyfarwyddyd i'r plentyn cyntaf, a dywedodd bachgen penfelyn,

"Graham Smith, 10 years old."

Aeth Miss Roberts ar hyd y rhes.

"Annie MacDonald, 6 years old … James Carpenter, 8 years old …"

Yna, safodd Miss Roberts o flaen y bachgen yn gwisgo tyrban.

"Pen cadach, ylwch!" Roedd hwnnw'n sibrydiad uwch na'r cyffredin ac roedd clustiau main gan y prifathro. Cododd ei lais yn flin.

"Pwy ddwedodd hynny? Dewch, dwi eisiau gwbod pwy ddwedodd y geiriau yna!"

Tawelwch.

Anesmwythodd rhai o'r plant.

Dechreuodd un rhes droi i daflu cip ar fachgen y tu ôl iddyn nhw. Synhwyrodd y prifathro fod Gordon John, mab y cigydd, yn y rhes honno, yn edrych tua'r llawr ac yn dechrau cochi.

"Gordon John? Ti ddwedodd y geiriau ffiaidd yna?" taranodd y prifathro. "Saf ar dy draed!"

Cododd Gordon, a'i lygaid at y llawr o hyd.

"Ti ddwedodd hynny, Gordon John?"

Petrusodd y bachgen. Yna nodiodd ei ben.

"Dos i sefyll y tu allan i ddrws fy stafell i, y cena iti!"

Cerddodd Gordon i ben y rhes ac yna allan drwy ddrws y neuadd.

"Reit. Yn ôl at groesawu'r plant yma yn weddus," meddai'r prifathro. "Miss Roberts."

Nodiodd Miss Roberts ei phen ar Sardar.

"Sardar Basra, 10 years old."

"Mae Sardar Basra yn perthyn i genedl y Siciaid ac yn dod o'r Punjab yng ngogledd India," esboniodd y prifathro. "Mae'r Siciaid yn rhan o Ymerodraeth Prydain Fawr ac yn bobol ffyddlon iawn. Pan oeddwn i yn ffosydd Ffrainc yn y Rhyfel

Mawr, roedd catrawd o Siciaid yn ein hymyl ni un tro. Milwyr dewr a di-ofn ac yn werth eu cael wrth ein hochrau ni. Felly dwi eisiau gweld pob un ohonoch chi – pob un – yn dangos parch. Ydach chi i gyd yn deall?"

Cerddodd murmur o gytundeb drwy resi'r neuadd.

Aed ymlaen â'r cyflwyno nes cyrraedd pen y rhes o ifaciwîs.

"Bydd y plant yma'n rhan o gynllun cinio ein hysgol ni ac yn dod gyda'r rhan fwya ohonoch chi i gael eu cinio yn festri eglwys Brynbowydd fel arfer."

Cerddodd y prifathro at ddrws y neuadd, ei agor a sefyll y tu allan.

"Standard Six!" gwaeddodd Miss Roberts.

Cododd plant Safon Chwech 6 ac amneidiodd Miss Roberts ar y tri ifaciwî o'r oedran hwnnw i ymuno â nhw.

Cerddodd Sardar gyda'r fintai drwy'r drws. Wrth fynd heibio'r prifathro, clywodd hwnnw'n clecian ei fysedd i gadw amseriad cerddediad y dosbarth a dweud "One, Two!" o dan ei wynt.

"Keep to the LEFT hand side of the corridor," gwaeddodd y prifathro. "One, Two. One, Two ..."

Yna trodd ar ei sawdl i fynd i ddelio â'r disgybl digywilydd.

Pennod 5

Cafodd Sardar ei roi wrth ochr bachgen main yn ystafell ddosbarth Safon Chwech. Mr Davies oedd yr athro dosbarth, a gofynnodd yn awr i'r bachgen main,

"Gwynfor, wnei di gadw llygad arno fo. Ei helpu o efo ambell air?"

"Gwnaf siŵr, Mr Davies. A deud y gwir, mi wnaeth Idwal Siop Bapur ei weld yn cyrraedd oddi ar y trên ddoe ac roeddwn i yn y festri pan gafodd ei lety."

"Da iawn, Gwynfor." Trodd Mr Davies at y bachgen tywyll.

"Gwynfor will look after you, Sardi—" Cymerodd Mr Davies gip ar y cofrestr yn ei law.

"Sardar Singh Basra, sir," meddai'r bachgen mewn llais tawel a chwrtais.

"Quite so, Sardar," meddai'r athro a dychwelyd at y ddau ifaciwî arall i'w lleoli hwythau. Pan oedd ar ganol galw'r cofrestr enwau, clywyd cnoc ar y drws.

"Come in!" galwodd Mr Davies.

Cerddodd Gordon John i mewn. Craffodd y dosbarth ar ei lygaid a sylwi eu bod braidd yn goch. Roedd ei ddau ddwrn wedi'u cau.

"I dy le, Gordon," meddai Mr Davies yn swta.

Cerddodd yntau i fyny'r ail res, heibio desg Sardar. Wrth ei basio, taflodd gip slei arno. Aeth i eistedd wrth ochr Jac a chyn hir roedd yn dangos ôl y gansen ar ei law i hwnnw. Agorodd llygaid Jac fel soseri. Edrychodd ar freichiau cryf ac ysgwyddau llydan Gordon fel pe bai'n gawr.

Amser chwarae aeth Gordon John, a Jac y tu ôl i'w ysgwydd dde, yn syth am gornel y buarth lle roedd Idwal, Gwynfor a Sardar.

"Pam fod gan hwn gadach am ei ben?" gofynnodd, wrth weld Idwal yn symud i fod rhyngddo a'r bachgen newydd.

"Ddim busnes i ti, Gordon John," atebodd Idwal.

"O, ti wedi cael ffrind bach, do?" meddai Gordon yn wawdlyd. "Sut wyt ti'n gwbod nad sbei ydi o?"

"Callia. Glywaist ti mai o Lerpwl maen nhw i gyd yn dod."

"Ond fforinar ydi hwn. Ac mi wyddost ti'n iawn – 'Careless Talk Costs Lives'. Y fforinars yn ein mysg ni ydi'r sbeis."

"Ddeudodd y prifathro mai o India y mae o. Dydyn nhw ddim yn Jyrmans yn fan'na, siŵr," meddai Idwal.

"Ac mi ddwedodd o eu bod nhw'n bobol ffyddlon," meddai Gwynfor. "Un o'r Siciaid ydi o."

"Sici ydi o?" gwawdiodd Gordon. "Wedi cael sici bach yn ei benglog, ia? Dyna pam fod ganddo fo gadach am ei ben? Ha!"

Trodd Gordon ei gefn arnyn nhw a cherdded â'i ysgwyddau'n sgwâr i gornel arall y buarth.

"Ha!" chwarddodd Jac yn yr un oslef, a dilynodd Gordon.

"Cadw o'u ffordd nhw," meddai Gwynfor. "Dyna i gyd sydd isio'i wneud."

Am weddill y diwrnod hwnnw, gofalodd Idwal a Gwynfor nad oedd eu llwybrau hwy a llwybr Sardar yn croesi llwybr

Gordon a Jac. Roedd hynny'n dipyn o sialens gan fod yn rhaid mynd allan drwy giatiau'r ysgol i'r festri ar y sgwâr am ginio. Ond gwyddai'r bechgyn lleol am y ffyrdd tawelach.

Ond y bore dilynol, roedd Gordon John a Jac yn loetran ar y Stryd Fawr, ar gornel Ffordd Glynllifon. Wrth i Gwynfor a Sardar nesu, roedd hi'n amlwg eu bod yn disgwyl am rywun.

Gynted ag y gwelodd Gordon nhw, cerddodd yn bwysig tuag atynt. Cerddodd Jac yr un mor bwysig yn glòs wrth ei ysgwydd dde.

"Sici, ia?" cyfarthodd Gordon. "Mi wnes i riportio hyn i Dad neithiwr ac mae o'n sarjant."

"Yn yr Hôm Gard," meddai Gwynfor yn falch.

"Cau hi'r Twrci Tenau," meddai Gordon. "Roedd Dad yn amau bod yna rwbath yn drewi ac mi edrychodd yn yr hen bapurau dydd Sul."

"Dda clywed ei fod o'n dal i ddarllen y papurau," meddai Idwal Siop Bapur, oedd newydd sylwi ar y pedwarawd wrth gerdded o gyfeiriad Stryd yr Eglwys.

"Wel, maen nhw'n deud y gwir. Elli di ddim gwadu hynny," atebodd Gordon. "A dyna lle roedd 'na lun Pen Cadach arall yr un fath â hwn yn y papur ddechra mis diwethaf. Rhyw Wdam Sing neu rwbath. Sici fel hwn. Newydd gael ei grogi am iddo fo ddod yr holl ffordd o Lundain i ladd un ohonon ni. A wyddost ti pwy laddodd o? Mi saethodd o y British Governor! Dwy ergyd. Un drwy'i galon – a hynny yng nghanol cyfarfod pwysig yn Llundain. Dyna chi sut rai ydi'r pennau cadach yma! Ffyddlon, wir!"

"Elli di ddim paentio pawb efo'r un brwsh, Gordon," meddai Idwal.

"Paent! Mae honno'n un dda!" atebodd Gordon.

"Ydi, un dda iawn!" cytunodd Jac, yn teimlo ei bod hi'n bryd iddo ddweud rhywbeth.

"Paent go ddu, tasat ti'n gofyn i mi," heriodd Gordon. "Ac edrych ar y baj gloyw yna sy ganddo fo ar dalcen ei gadach. Be mae o'n ei ddeud arno fo? Punjab! Governor Punjab oedd y dyn pwysig yna gafodd ei ladd yn Llundain. Un o'n dynion ni yn India a'r Sici yn dod yma'r holl ffordd i'w saethu o!"

Agorodd Gordon ei ddwylo o'i flaen fel pe bai wedi ennill y ddadl yn llys pwysicaf y wlad. Gwelodd Gwynfor ei gyfle a gwthio Sardar o'i flaen heibio iddo, i lawr Ffordd Glynllifon a chyn hir roedden nhw o fewn golwg i'r ysgol.

"What was that about?" gofynnodd Sardar.

"Saethu – shoot," meddai Gwynfor. "Man with turban – in London."

"A!" deallodd Sardar. "Udham Singh shooting Michael O'Dwyer in London."

"Mae hyn i gyd yn wir, felly!" meddai Idwal.

"Remember, my friends," meddai Sardar. "The truth in the papers is not all the truth."

* * *

Y noson honno, galwodd Nel Manod heibio Hafanedd. Miss Marian atebodd y drws.

"Pnawn da, Miss Marian. Ydi Sardar yn ôl o'r ysgol? Meddwl holi o'n i sut mae'n setlo yno ar ôl ei ddau ddiwrnod cynta."

"Tyn y gôt yna cyn dod i mewn, ysgwyd hi'n iawn y tu

allan a gad hi ar lawr y tu ôl i'r drws," meddai Miss Marian.

Daeth Miss Elen i'r golwg o'r gegin.

"Sut wyt ti, Nel fach?" gofynnodd. "Mae Sardar wrthi'n cael ei de yn fan'ma. Tyrd drwodd am sgwrs."

"Dwi ddim yn meddwl bod yna ddigon o de i un arall, chwaith," meddai Miss Marian. "Mi fydd yna rashons ar de cyn hir. Dim ond panad y dydd, gewch chi weld."

"O, oes," meddai Miss Elen, gan ysgwyd y tebot. "Hen ddigon i un arall."

"Dwyt ti ddim yn cymryd siwgr, wyt ti?" oedd ymateb Miss Marian.

Eisteddai Sardar wrth y bwrdd yn yfed ei de. Bara menyn a jam ar ei blât. Gwenodd ar Nel.

"Eistedd, Nel. Eistedd is what, Sardar?" gofynnodd Miss Elen.

"Sit."

"O, mae'n cofio'i eiriau'n dda," canmolodd Miss Elen. "Cof fel eliffant ganddo fo."

"Eliffant?"

"O!" cofiodd Miss Elen fod y creaduriaid hynny yn gyffredin yn India. "Remember like an elephant, don't you Sardar?"

"Yes, cofio eliffant is very good cofio, but cofio in the llyfr is better!" Trodd Sardar at Nel a chodi llyfr oedd ganddo yn agored wrth ei benelin ar y bwrdd a'i ddangos iddi. "Look, Miss Elen has very kindly given me a book as a present. In this book I write every new Welsh word that I learn every day. Then I can read them over and over. Look!"

Edrychodd Nel ar y dudalen gyntaf:

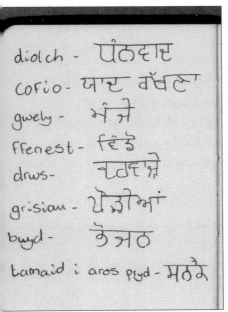

diolch - ਧੰਨਵਾਦ

cofio - ਯਾਦ ਰੱਖਣਾ

gwely - ਮੰਜੇ

ffenest - ਵਿੰਡੋ

drws - ਦਰਵਾਜ਼ੇ

grisiau - ਪੌੜੀਆਂ

bwyd - ਤੇ ਜਨ

tamaid i aros pryd - ਸਨੈਕੇ

Llyfr geirfa Sardar

"Da iawn, Sardar!" rhyfeddodd Nel. "Ti'n dysgu'n dda iawn."

"Da iawn – yes, that is in the book as well," meddai'r bachgen.

"Papur yn ddrud ac yn brin iawn ar adeg rhyfel fel hyn," cwynodd Miss Marian. "Wn i ddim, na wn i wir."

"Sut mae'r ysgol?" gofynnodd Nel, gan droi'r sgwrs.

"How is ... ?" dechreuodd Miss Elen gyfieithu.

"Ysgol. School," meddai Sardar.

Yna, wedi saib fer o edrych ar y bara a'r jam.

"How do you say it doesn't matter?" gofynnodd.

"Dim ots," atebodd Nel.

"Yes. Ie. Dim ots!" meddai Sardar. "Hapus rŵan."

Ysgrifennodd Sardar nodyn yn y llyfr a gwenodd y ddau ar ei gilydd.

Dros y dyddiau canlynol, byddai Nel yn taro heibio Hafanedd ar ôl dod adref o'r ysgol, rhwng y te bach a'r swper chwarel. Roedd Sardar yn falch o'i gweld bob tro ac roedd Miss Elen yn ddiolchgar iawn iddi.

"Gad inni drio 'chydig mwy o Gymraeg efo fo, Nel," fyddai hi'n ei ddweud. Roedd yn dysgu'n gyflym, gyda chof da am eiriau ac yn ynganu'n berffaith.

Erbyn diwedd yr wythnos roedd y tri ohonyn nhw'n mynd
o gwmpas yr ardd yn enwi popeth oedd i'w weld yno ac yn
codi'u golygon i ddysgu geiriau am y tai a'r stryd a'r
mynyddoedd yn y pellter. A'r tywydd, wrth gwrs. Roedd
Sardar wedi dysgu'r geiriau am haul a glaw yn fuan iawn.

"Bwrw glaw!" meddai Sardar, wrth ateb y drws iddi bnawn
Gwener.

"Ond mae haul fan'cw," atebodd Nel. "Braf toc."

"Braf," atebodd Sardar, gyda gwên. Yna sylwodd ar Siw yr
ast fach ar dennyn y tu ôl i sodlau Nel.

"Beth ydi'r gair?" gofynnodd, gan bwyntio at Siw.

"Ci bach," atebodd Nel. "Siw, y ci bach ..."

"Paid ti â meddwl dod â'r creadur yna i mewn i'r tŷ!"
Roedd Miss Marian wedi ymddangos y tu ôl i Sardar yn ffrâm
y drws. "'Dan ni ddim isio gweld ôl y traed yna ar hyd llawr y
gegin. Mi fyddai sgwrio ar ei ôl o'n ddigon i dreulio pen y
mop. Ddigon anodd cael rheiny dyddiau yma. Heb sôn am y
gost ..."

"Na, mynd am dro i'r mynydd ydan ni, Miss Marian. Ti
isio dod am dro efo ni, Sardar?"

"Am dro?" gofynnodd y llanc.

Eglurodd Nel ei bwriad a derbyniodd yntau'r gwahoddiad.
Gwisgodd ei sgidiau am ei draed ac i ffwrdd â nhw heibio Tan
y Clogwyn drwy'r giât fochyn am y llwybr i'r tomenni.

"A! Dŵr!" meddai Sardar wrth gamu ar ran gwlyb o'r
llwybr. Llifai nant fechan wrth ochr y llwybr ac roedd honno'n
llond ei glannau ar ôl y glaw. Plethai yn ôl ac ymlaen dan
bontydd crawiau o'r naill ochr i'r llwybr i'r llall, ond roedd

ambell bwll gwlyb a thocyn o frwyn dan draed.

"O! Sgidiau budur!" meddai Nel, gan bwyntio at ei draed.

"Dim ots!" atebodd Sardar gan godi'i ysgwyddau. Y ddau air yna oedd ei hoff ateb pan siaradai Gymraeg.

"Ydi mae hi," meddai Nel gan esbonio y byddai'n sychu a glanhau'r sgidiau rhag i Miss Marian chwarae'r diawl.

"Chwarae'r diawl?" gofynnodd Sardar wedyn, a dyna wers arall gan Nel iddo ei nodi yn ei lyfr geiriau yr oedd yn ei gario gydag ef yn ei boced tin. Tynnodd bensel fach o'i boced i wneud hynny yn y fan a'r lle.

"Ysgol yn iawn heddiw, Sardar?"

"Anodd! Ond dim ots!"

"Pawb yn glên efo ti?"

"Mr Davies clên iawn," meddai Sardar.

"A'r hogiau?"

"Wel ... Dim ots!"

Esboniodd Nel y byddai'r rhai oedd yn tynnu arno am ei fod yn wahanol yn blino ar wneud hynny erbyn yr wythnos ganlynol. Câi lonydd wedyn.

Cyrhaeddodd y ddau hen dŷ fferm.

"Bryn Egryn," meddai Nel gan bwyntio at yr ysgrifen ar lechen ar wyneb y tŷ.

"Bryn Egryn," darllenodd Sardar.

"Fferm," meddai Nel. "Gwartheg, defaid, moch, ers talwm. Ond edrych – tomen y chwarel."

Crychodd Sardar ei dalcen wrth edrych ar y domen fawr o rwbel chwarel oedd bron â chyrraedd waliau Bryn Egryn. Gallai weld llwybr cul rhwng waliau crawiau yn dringo i ben y domen.

"Chwarel – mwy a mwy," esboniodd Nel. "Tomen fawr, fawr. Fferm yn mynd yn fach, fach. A rŵan caeau'r fferm dan y domen."

"A!" deallodd Sardar yr ergyd.

"Ffermwr bach – colli gwaith."

"Ie. Colli gwaith. Beth yw enw'r chwarel?"

"Chwarel y Lord."

"Beth yw Lord?"

Esboniodd Nel mai arglwydd cyfoethog yn byw mewn plasty pell ac yn siarad Saesneg oedd y Lord. Hwnnw oedd perchennog y chwarel a'r tai ac yn rheoli bywydau pawb yn yr ardal. Dywedodd Sardar fod ganddyn nhw bobl fel'na yn y Punjab hefyd.

Rhedodd yr ast fach o'u blaenau i ben y domen lle roedd golygfa drawiadol o'r dref i gyd a gweithfeydd y chwareli.

"Mawr iawn," meddai Sardar, gan edrych ar y melinau naddu llechi, inclên i'r wageni a thomen ar ôl tomen o rwbel.

"Ydi," meddai Nel. Eglurodd fod un chwarel ar ôl y llall i fyny'r mynydd a draw am filltiroedd wedyn ar hyd y topiau acw nes cyrraedd Chwarel Cwt y Bugail. Dywedodd fod Ieuan ei chefnder yn arfer bod yn brentis yn y fan honno.

Ddiwedd pnawn y diwrnod canlynol, galwodd Sardar heibio 9 Tan y Clogwyn.

"Hwn i ti," meddai.

Agorodd ei lyfr bach, rhwygo tudalen ohono a'i estyn i Nel.

Edrychodd hithau arno. Roedd yn hollol fud am funud llawn.

"O! Mae'n llun ardderchog!" meddai yn y man. "Siw! Tyrd

yma i weld y llun mae Sardar wedi'i neud ohonot ti!"

Dangosodd lun o ddaeargi trilliw ar domen o rwbel llechi i'r ast fach.

Wrth ddiolch i Sardar, canmolodd ei ddawn i dynnu llun a holodd lle roedd wedi dysgu hynny. Cafodd wybod ei fod o deulu o grefftwyr y Punjab oedd yn cynhyrchu cotwm lliwgar.

"Diolch am dro," meddai Sardar wedyn. "Edrych – map mynd am dro!"

Dangosodd fap bach oedd yn dangos 'Hafanedd', '9 Tan y Clogwyn', 'tomen Chwarel y Lord' a 'Bryn Egryn'. Ymhellach i dop y dudalen roedd yr enw 'Chwarel Cwt y Bugail'.

"Ie, dydan ni ddim wedi bod yng Nghwt y Bugail eto, yn naddo?" meddai Nel.

Gwenodd Sardar, a gadael.

Pennod 6

Ben bore Sadwrn, clywodd Nel sŵn rhywun yn dod ar hyd ffordd Tan y Clogwyn dan chwibanu. Gwyddai heb edrych mai Gordon John, mab y cigydd oedd yno, yn dosbarthu cig at y Sul i wahanol gwsmeriaid yr oedd yn well ganddyn nhw dalu am y ffafr yn hytrach na threulio amser yn ciwio yn y siop. Gwyddai Nel hefyd y byddai Churchill y bwlteriar wrth ei sodlau.

Roedd hi allan yn y cefn gyda'r ast fach.

"Siw, tyrd yma, pwt. Siw, lle wyt ti?"

"Dydi honno ddim yn baeddu fy mhatsh i eto gobeithio." Roedd Gwilym Lewis yn pwyso ar ei giât goch fel arfer.

"Siw!"

Fel petai'n deall yr alwad, gwelodd Nel y bwlteriar yn sgrialu rownd y gornel gan anelu amdani. Yr eiliad honno, cododd yr ast fach ei phen y tu ôl i docyn brwyn a llamodd Churchill i'w chyfeiriad. Heb oedi, rhedodd Siw yn igam-ogam rhwng y gwlydd tatws.

"Y cnafon! Ewch o fy rhesi tatws i!" sgrechiodd Gwilym Lewis gan agor y giât a gafael yn y peth agosaf i'w law, sef darn o bren go gadarn.

"Siw! Siw! Tyrd yma!" llefodd Nel, gan wybod na fyddai'r Gwyneb Lemon yn ymatal rhag rhoi cweir i'r cŵn.

Cyrhaeddodd Gordon John a'i fasged gig ar ei fraich.

"Cer â dy gi adra, Gordon John," gwaeddodd Nel.

"O'r tatws yma'r taclau!" rhuodd Gwilym. Roedd yn brasgamu rhwng y rhesi bellach ac yn chwifio'i bastwn i bob cyfeiriad. Unig ganlyniad hynny oedd chwalu dail y rhesi tatws yn wyllt.

"Churchill!" gwaeddodd Gordon John. "Tyrd yma, capten!"

Ond roedd y bwlteriar wedi sgwario'r ast fach i gornel rhwng wal bellaf y patshyn tatws a'r ffens am y mynydd. Roedd y chwyrnu a'r cythru fel sŵn trên mewn twnnel i glustiau Nel.

Ceisiodd Siw ddianc i'r chwith ond neidiodd Churchill amdani a chael ei ddannedd am ei choes ôl. Gwichiai'r ast fach fel cwningen mewn trap. Daliai Gwilym i waldio'i blanhigion tatws, gan fethu â dringo i ben ucha'r rhesi'n ddigon buan. Llefai Nel wrth glywed ei chi bach yn dioddef a safai Gordon John wrth dalcen y tŷ yn chwibanu ar ei gi, gyda'i fasged ar ei fraich.

O rywle, daeth Sardar ar wib. Heb lol, rhedodd am gornel uchaf yr ardd datws a thaflodd ei hun ar ben y bwlteriar. Roedd gweflau hwnnw'n diferu gan waed yr ast fechan ond yn y braw a gafodd wrth deimlo'r ymosodiad sydyn ar ei gefn, gollyngodd ei afael yn y goes. Gwichiodd Siw ei rhyddhad a stwffiodd ei hun drwy dwll bychan yn ffens y mynydd. Yr olwg olaf a welwyd arni oedd yn diflannu am y tomenni â'i chynffon bwt yn dynn rhwng ei choesau.

Doedd Churchill ddim yn mynd i golli un ysglyfaeth tra bod cyfle i frathu un arall. Trodd ei ben yn ffyrnig a brathu llaw Sardar oedd yn gafael am ei ysgwydd. Rhoddodd yntau sgrech.

Pan welodd Gordon y bachgen o'r Punjab yn ymosod ar ei gi, gwthiodd heibio Nel a rhoi'r fasged gig iddi i'w dal. O'r tu ôl, cydiodd yng ngholer Sardar a'i dynnu i fyny nes ei fod yn hanner ei dagu. Trodd Sardar i wynebu'i ymosodwr a chyda'i law dde cydiodd Gordon yn y bathodyn yng nghanol ei dyrban. Rhoddodd blwc iddo nes iddo ddod yn rhydd yn ei law.

"Be ydi'r hen drimings gwirion yma ti'n ei wisgo?" gofynnodd Gordon. "Wyddost ti ddim ei bod hi'n rhyfel? Bathodyn y brenin ddylai pawb ei wisgo ar adeg fel hyn. Llewod, wir!"

"Be ar y ddaear ydi'r holl firi yma, Nel?" Wrth glywed yr holl gyfarth a gweiddi, roedd Anwen Jones wedi dod o'i chegin i giât y buarth.

Yna, cyrhaeddodd Gwilym gyda'r pastwn.

Yn anffodus, roedd wedi colli'i wynt yn ogystal â cholli'i dymer. Pan anelodd ergyd at ben y bwlteriar, disgynnodd y pastwn ar draws cefn Sardar.

Sythodd y bachgen ei gefn. Gollyngodd y ci a neidiodd ar ei draed. Cyn i neb droi arno eto, rhedodd am y giât mochyn yn ffens y mynydd a dilynodd y llwybr gyda'r nant ar ôl yr ast fach.

"Sardar fu'n trio achub Siw rhag dannedd y bwystfil Churchill yma," esboniodd Nel.

"Dim ond chwarae roedd Churchill," protestiodd Gordon. "A dyma'r Pen Cadach yna'n ymosod arno fo o'r tu ôl!"

"Calliwch wir, y ddau ohonoch chi!" gwaeddodd Anwen Jones.

"Siw ... Sardar ..." Doedd Nel ddim yn medru gollwng y

geiriau o'i gwddw, dim ond edrych i gyfeiriad y llechweddau.

"Y fath olwg ar fy ngardd datws!" meddai Gwilym Lewis. "A finnau mor falch 'mod i'n neud fy rhan i fwydo'r wlad yma a hithau'n rhyfel."

Dychwelodd drwy'i giât goch gyda'i bastwn.

"Tyrd Churchill, mae gan rai ohonon ni waith i'w wneud," meddai Gordon John gyda chwiban a chipio'i fasged o ddwylo Nel.

"Hei!" cofiodd Nel. "Tyrd â bathodyn Sardar yn ôl i mi! Does gen ti ddim hawl ..."

Ond roedd mab y cigydd a'i gi wedi diflannu rownd y gornel.

"Hoi!" daeth llais o droed yr allt a arweiniai i fyny at Dan y Clogwyn.

Edrychodd Nel i'r cyfeiriad a gwelodd Nita'n chwifio'i braich arni. Safai Beti a Gwenda wrth ei hymyl.

"Ti'n dod?" meddai'r llais o'r gwaelodion wedyn.

Amneidiodd Nel ar ei ffrindiau i ddringo'r allt a cherddodd hithau i lawr i'w cyfarfod.

"Siw ar goll," meddai. "Rhaid i mi fynd i chwilio amdani." Esboniodd yn gyflym yr hyn oedd wedi digwydd.

"Ddown ni i dy helpu i ddod o hyd iddi," cynigiodd Beti.

"Ia, a 'dan ni isio gweld y bachgen brown yma ti wedi bod yn sôn amdano," meddai Gwenda.

"Sardar ydi'i enw fo. Dewch 'ta. Newydd fynd mae Siw. All hi ddim bod ymhell iawn. Dim ond i fyny tua Bryn Egryn yna."

"Dyma dy gôt di, Nel," estynnodd ei mam honno i'w merch wrth iddi basio cefn y tŷ am y giât mochyn i'r mynydd.

"Peidiwch â bod yn hir, mae yna gymylau isel ar y topiau yna."

"Tydi hi ddim yn un i redeg i ffwrdd," meddai Nel. "Dewch, genod."

Cerddodd y pedair ar hyd y pontydd crawiau a thrwy'r tocynnau brwyn i sŵn y nant yn disgyn i lawr y llethr. Ar ôl dringo am rai munudau, oedodd Nel i alw enw'r ast fach. Clustfeinio. Dim cyfarthiad. Dim gwich na nadu yn unman.

"Sardar!" gwaeddodd Nel wedyn.

Dim ateb eto.

Ychydig funudau o ddringo pellach ac roedden nhw wrth hen ffermdy Bryn Egryn a'i groesffordd llwybrau.

"Aethon nhw i lawr Ffordd Manod, tybed?" gofynnodd Nita.

"Neu ella i fyny'r llwybr i ben y domen," awgrymodd Beti.

"Dwi ddim yn meddwl y byddai wedi cyrraedd y grib a diflannu o'r golwg eto," meddai Nel.

Edrychodd ar draws y llechwedd lle roedd cyfres o domenni yn pwyso ar ei gilydd. Roedd llwybr igam-ogam yn mynd o foncyn i foncyn at Lefel Dŵr Oer. Yn uwch wedyn, roedd tomenni chwarel y Graig Ddu'n codi ac yn diflannu i'r niwl.

Galwodd Nel yr enwau eto.

Distawrwydd.

"Be wnawn ni, Nel?" gofynnodd Nita. "Gadael iddyn nhw ddod adra dow-dow?"

"Fyddan nhw ddim yn hir, 'sdi," cysurodd Gwenda hi.

"Ewch chi am y Forum, genod," meddai Nel. "Diolch ichi am eich help – ond mi ddalia i i chwilio am sbelan eto."

"Wel, cymer ofal 'ta," meddai Beti.

Trodd genod Manod i lawr yr allt ac am y sinema ar ben y daith.

Trodd Nel am y mynydd.

* * *

Brasgamodd Sardar i fyny'r llwybr gan adrodd ribidirês o eiriau'r Punjab wrtho'i hun. Beth oedd o wedi'i wneud i haeddu cael ffon ar ei gefn a hanner ei grogi? Roedd hyn fel milwyr yr Iwnion Jac yn ymosod ar bobl ddiniwed yn ôl yn India! Crychodd ei dalcen o dan y tyrban. Gwasgodd ei wefusau at ei gilydd, yn llinell fain, benderfynol.

Sylwodd bob hyn a hyn ar ôl traed yr ast fach ar ymylon mawnoglyd y llwybr. Mae hi a fi'n rhedeg i'r un lle, meddyliodd. Y mynydd mawr cysurus lle mae llonydd i'w gael. Lle nad oes neb yn rhoi pastwn ar dy gefn nac yn dwyn dy fathodyn di.

Ers gadael Bryn Egryn, roedd y llwybr yn sychach. Cerddodd yn gyflym ar i fyny gan ddilyn traed y tomenni. Wedi dringo ychydig pellach cafodd ei hun mewn hafn rhwng dwy domen fawr. O'i flaen, gwelodd ddaeargi bach gwyn gyda marciau brown a du ar ei chlustiau a'i phen.

"Siw," sibrydodd, a herciodd yr ast fechan ato, yn llusgo'i choes ôl.

Roedd nant fechan wrth droed un o'r tomenni rwbel. Cariodd yr ast yno a golchi'r ôl dannedd oedd ar ei choes. Llyfodd hithau ei law. Gadawodd iddi yfed dipyn o ddŵr o'r nant.

Cerddodd yn ei flaen, gan ei chario'n ofalus. Cyrhaeddodd

ychydig o adeiladau. Dau neu dri o gytiau'r chwarel. Aeth â'r daeargi i mewn i un ohonyn nhw a gwelodd fod yno gysgod go dda. Torrodd ychydig o redyn a brwyn y tu allan a'i gario yno i greu nyth yn y gornel. Rhoddodd fwrdd pren ar draws hanner isaf y drws. Y tu allan, gwelodd ddarn o lechfaen gyda phant naturiol ynddi. Aeth â hi yn ôl at y nant, llenwi'r pant â dŵr, ei chario yn ôl a'i osod wrth ochr y ci bach.

"Dyna ti," meddai wrthi. "Mi fyddi di yn iawn yn fan hyn. Bydd rhywun yma iti toc. Ond mae'n rhaid i mi fynd ymlaen. Dwi ar fy mhen fy hun."

Yna, aeth Sardar yn ôl allan, ac ymlaen at y niwl.

Cyn hir, cyrhaeddodd lyn.

* * *

Bob rhyw hanner can cam, arhosai Nel i wrando ar y wlad o'i chwmpas. Ambell frân. Sŵn y gwynt yn gyrru'r cymylau ym mylchau'r mynyddoedd.

"Siw! Sardar!"

Ymlaen, felly.

Fyddai Siw ddim wedi dringo'r tomenni rwbel garw a miniog, rhesymodd wrthi'i hun. Cadwodd at y llwybrau drwy'r glaswellt garw a'r brwyn. Cyrhaeddodd hithau'r dyffryn cul rhwng dwy domen lechi.

Daliodd i alw a galw.

Gwelodd y cytiau gwaith a galwodd eto.

Clustfeiniodd.

Nid aderyn ac nid sŵn dŵr yn y pellter oedd hwn'na, roedd hi'n siŵr o hynny.

Cerddodd ymlaen a galw eto.

Ci bach oedd yn swnian!

Rhedodd at y cytiau a gwelodd y bwrdd ar draws gwaelod adwy'r drws. Cyn pen dim roedd i mewn ac roedd Siw yn ei breichiau.

Sylwodd ar y nyth o frwyn a rhedyn a'r dŵr ym mhant y llechen.

"Lle aeth o, Siw?" meddai, gan gario'r ast yn ôl allan o'r cwt.

Cadwodd Nel y ci bach yn ei breichiau gan syllu i fyny'r llwybr at y chwareli pellaf a rhagor o domenni. Gwyddai fod y mynydd-dir hwn yn llawn llwybrau wageni llechi, llynnoedd oedd yn cronni dŵr i weithio peiriannau'r chwareli, a thomen ar ôl tomen o rwbel. A thyllau, wrth gwrs, lle roedd lefelau'r gwahanol chwareli yn brigo i'r wyneb – tyllau oedd weithiau'n glogwyni garw yn disgyn i'r dyfnderoedd.

Ceisiodd gofio rhai o'r enwau. Llyn Dubach. Chwarel y Lord, neu Chwarel Diffwys yn ôl rhai. Llyn Dŵr Oer. Llyn Manod. Chwarel Maenofferen. Llyn Bowydd. Llyn Newydd. Chwarel Graig Ddu. Chwarel Cwt y Bugail. Llyn y Drum Boeth. Chwarel Blaen-y-cwm.

Roedd wedi crwydro llawer ar y moelydd yna rhwng y chwareli. Ond ganol yr haf oedd hynny, ac yng nghwmni Brei Drws Nesa neu ei mam. A gan fod y rhan fwyaf o'r chwareli'n gweithio bryd hynny, roedd dynion wrth eu gwaith ar yr inclêns a'r tomenni rwbel.

Tywyllodd yr awyr erbyn hyn. Diflannodd golau disglair y bore a dim ond cymylau duon, isel oedd i'w gweld. Roedd y rheiny'n bwyta mwy a mwy o'r mynyddoedd a'r tomenni, yn creu niwl tewach ac yn disgyn yn is ac yn is.

Trodd Nel i wynebu'r ffordd y daeth.

Doedd dim ond un peth amdani. Brysio adref gyda Siw a gweld beth fyddai orau i'w wneud o ran chwilio am Sardar wedi hynny.

Fel y disgwyliai, nid oedd ei mam wedi gweld neb arall yn dod i lawr o'r mynydd ers i Nita, Beti a Gwenda ddychwelyd.

"Well iti fynd i ddeud wrthyn nhw yn Hafanedd, Nel," meddai'i mam. "Maen nhw'n gyfrifol amdano ac mae'n iawn iddyn nhw gael gwbod be sy wedi digwydd."

"Ond be ddweda i wedyn?" gofynnodd Nel. "Mi fyddan nhw isio gwbod be 'dan ni'n bwriadu'i wneud."

"Does dim isio cynhyrfu'r dyfroedd yn ormodol. Ganol y bore ydi hi o hyd. Dwed wrthyn nhw yr awn ni fyny i chwilio amdano ar ôl i Brei Drws Nesa ddod adra at yr amser cinio 'ma."

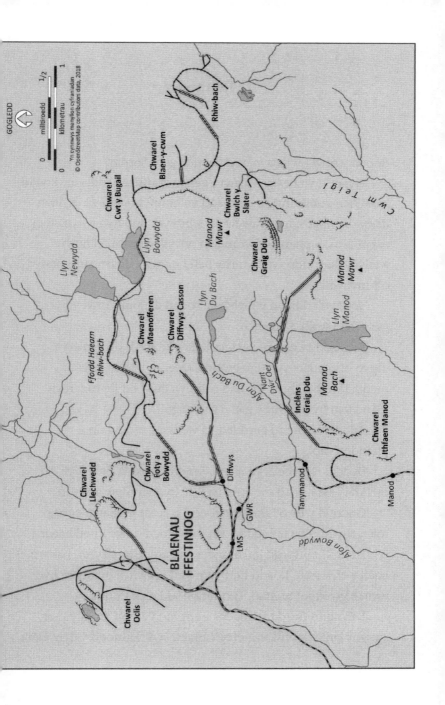

GOGLEDD

Yn cynnwys manylion cyfranladan
© OpenStreetMap contributors data, 2018

Chwarel Oclis

Chwarel Llechwedd

BLAENAU FFESTINIOG

Chwarel Foty a Bowydd

LMS

GWR

Diffwys

Fforedd Haearn Rhiw-bach

Chwarel Maenofferen

Chwarel Diffwys Casson

Llyn Newydd

Llyn Bowydd

Chwarel Cwt y Bugail

Chwarel Blaen-y-cwm

Rhiw-bach

Chwarel Bwlch y Slater

Manod Mawr

Chwarel Graig Ddu

Llyn Du Bach

Afon Du Bach

Nant Dŵr Oer

Inclên Graig Ddu

Llyn Manod

Manod Mawr

Manod Bach

Chwarel Ithfaen Manod

Tanymanod

Afon Bowydd

Manod

Cwm Teigl

Pennod 7

Roedd y niwl fel llaw wen o flaen llygaid Sardar.

Plygodd yn nes at y llawr i geisio craffu ar y ddaear. Roedd wedi hen golli'r llwybr ac roedd yn hanner baglu yn ei flaen drwy dwmpathau o grawcwellt a brwyn. Bob hyn a hyn, âi ei esgid dros ei phen i ddŵr mawn tywyll. Cywirai ei lwybr wedyn, rhag iddo fynd yn rhy bell i mewn i ddarn rhy gorslyd o'r mynydd.

Teimlai'i ddillad yn wlyb ac roedd dagrau'r niwl yn gwlychu'i wallt a'i wyneb.

Arhosodd i gymryd ei anadl. Roedd wedi dringo cryn dipyn ers gadael y cytiau gwaith. Doedd o ddim ar goll, meddai wrtho'i hun. Os nad oedd yn gwybod lle roedd yn mynd cyn hynny, sut y gallai fod ar goll?

Ailddechreuodd gerdded, ei wefusau eto'n fain a phenderfynol.

Byddai rhywbeth yn siŵr o ymddangos o'i flaen cyn hir, meddai'r llais bach mewnol wrtho. Byddai rhyw arwydd.

Cododd y tir o'i flaen ac roedd y llethr yn llawn cerrig mân, rhydd. Yna lefelodd y tir, a gwelodd ddwy linell haearn o'i flaen. Rheilffordd gul ar gyfer wageni. Un o ffyrdd haearn bach y chwareli. Roedd hon yn mynd i rywle a hynny ar hyd wyneb gweddol wastad. Penderfynodd droi i'r dde.

Dilynodd ffordd y wageni a gwelodd ei fod yn dilyn yn agos at lan llyn unwaith eto. Ymlaen, a diflannodd y llyn. Câi'r argraff yn y niwl chwyrlïol ei fod ar droed llethr ar ei law dde a bod rhyw gorsdir i'r chwith iddo. Cyn hir, gwelodd domen rwbel ar y chwith ac yna roedd tro go hir i'r dde. Cerddodd rhwng dwy wal o graig, fel petai'r ffordd wedi'i chwythu drwy'r rhwystr. Ymlaen heibio mwy o rwbel chwarel ac ychydig o byllau oedd rhwng y cledrau.

Ymhen tipyn, cyrhaeddodd fforch. Penderfynodd droi i'r chwith y tro hwn. Ymhen rhyw ddeng munud arall gwelodd fod rhywbeth mawr tywyll yn cau'r ffordd o'i flaen.

Oedodd. Ond doedd y cawr du ddim yn symud. Cerddodd yn ei flaen yn ofalus. Sylweddolodd mai rhyw fath o adeilad oedd yno. Dynesodd gyda gofal. Gwelodd wal o gerrig mawrion, uchel o'i flaen, yna cornel sgwâr a'r tir yn codi'n serth ar yr ochr honno. Camodd gyda'r wal i'r chwith a dringodd i fyny i'w phen pan welodd ei bod yn ddigon isel iddo fedru gwneud hynny.

Gallai weld cysgod rhywbeth crwn dan do ar yr ochr uchaf. Oddi tano, gallai weld dwy lein o ffordd haearn y wageni eto. Ond doedd wyneb y ffordd ddim yn wastad y tro hwn. Roedd fel pe bai'n tywallt i lawr y llechwedd fel rhaeadr.

Craffodd a chraffodd. Cododd y gwynt a theneuodd y niwl o'i flaen am ychydig. Cafodd fraw wrth weld ei fod ar ben inclên hir – llethr serth i ollwng wageni i lawr ochr y mynydd. Yn y gwaelodion, gallai weld corn simnai tal, mwy o adeiladau a thopiau'r tomenni rwbel yn ymestyn dros y tir garw fel pilipala mawr llwyd.

Mwy o wynt a'r niwl yn teneuo eto. Dechreuodd gerdded i lawr yr inclên gan osod ei draed yn ofalus rhwng y cledrau. Câi ei demtio i redeg. Roedd y llethr serth yn ei wthio yn ei flaen. Ond o dipyn i beth, cyrhaeddodd y gwaelod lle roedd drws mawr wedi'i gau.

Dyna'r ffordd yr âi'r wageni i mewn ac allan o'r gweithdy, meddyliodd Sardar. Cerddodd o gwmpas yr adeiladau llwydion ac ar hyd llwybr rhwng dwy res o gytiau isel heb ddrysau arnyn nhw. Roedd olion gwaith llechi yma ac acw, waliau, a ffyrdd haearn. Ond roedd mwy o wair ac ambell lwyn o rug yn tyfu yma nag oedd wrth y cytiau gwaith yn is i lawr y llethr.

Mae'n rhaid bod y gwaith wedi darfod yma ers rhai blynyddoedd, meddyliodd. Dilynodd un o'r ffyrdd haearn i'w phen draw. Gwelodd ei fod ar lwyfan bychan yn edrych i lawr dros ddibyn y domen. Llwybr i'r wageni daflu llwyth y gwastraff dros ymyl y domen, meddyliodd.

Ymhell oddi tano, gwelodd glwstwr o adeiladau wrth droed y domen, a thair neu bedair rhes o adeiladau cerrig chwarel a nifer o adeiladau o sinc coch yma ac acw. Doedd hwn ddim o'r un natur â'r felin a'r cytiau gwaith ar wyneb y tomenni. Edrychai'n fwy o bentref – tai gweithwyr efallai. Ond roedd yn hollol dawel, a'r un enaid byw i'w weld yn unman.

Dechreuodd fwrw glaw yn drwm wrth iddo ddilyn y llwybr igam-ogam i lawr y domen. Gyrrai'r gwynt y glaw dros wegil y mynydd. Cychwynnodd redeg am yr adeilad agosaf. Wrth nesu gwelodd fod pob ffenest wedi'u malu a bod y drws wedi torri ac yn gorwedd ar ei wyneb y tu mewn i'r adwy. Rhoddodd ei ben i mewn a gweld ffrâm fetel gwely yn un gornel. Roedd tyllau yn y to a'r glaw'n diferu trwyddyn nhw.

Y rhai nesaf yn y rhes oedd rhyw dri bwthyn llai o faint,

ond roedd drysau pren ar bob un. Roedd eu ffenestri'n gyfan. Aeth at y cyntaf. Rhoddodd ei law ar gliced y drws. Agorodd hwnnw. Roedd lle tân gwag o'i flaen, dwy gadair bren a bwrdd, a golwg wedi'i hen adael ar bopeth.

Caeodd Sardar y drws ac aeth i eistedd ar un o'r cadeiriau a gafael amdano'i hun. Caeodd ei lygaid. Crymodd ei ysgwyddau a siglo'i gorff yn araf yn ôl ac ymlaen. Yn dawel, dawel roedd yn mwmian rhyw alaw a ddysgodd ryw dro mewn gwlad bell, bell i ffwrdd.

Aeth amser heibio.

Agorodd ei lygaid yn sydyn.

Beth oedd hwn'na? Oedd o wedi clywed rhyw sŵn gwahanol i'r gwynt y tu allan?

"Ci-aw! Ci-aw!"

Uwch ei ben y clywodd hynny. Aderyn, mae'n siŵr.

Chwibanai'r gwynt yn y simnai oer a thrwy dyllau yn y waliau cerrig garw. Roedd ei lygaid wedi bod ynghau am oriau, meddyliodd Sardar.

Roedd arno eisiau bwyd. Ond ble y câi beth mewn lle fel hyn?

Agorodd ddrws cefn yr ystafell. Ystafell lai, a nenfwd bren isel gydag ysgol i ddringo i'r llofft. Dringodd honno'n ofalus ac edrych o'i gwmpas pan oedd ei lygaid yn uwch na lefel y llawr.

Gwelodd silffoedd ar hyd y waliau. Ond nid silffoedd bwyd. Llyfrau! Rhesi o lyfrau. Pentyrrau o lyfrau yn y corneli. Aeth i fyny'r holl ffordd a dechrau bodio'r llyfrau. Agorodd un neu ddau. Cymraeg, bob gair.

Gwelodd fod papur newydd ar lawr a'i ymylon yn bob

siâp. Llygod oedd wedi bod yn bwyta'r papur, meddyliodd. Doedd yna ddim byd gwell na phapur i'r llygod ei fwyta yno, hyd yn oed.

Dringodd yn ôl i lawr yr ysgol.

"Ci-aw! Ci-aw!"

Roedd yr aderyn yn dal o gwmpas.

Aeth allan yn ei ôl, a cherddodd at y drws nesaf yn y rhes. Agorodd hwnnw.

"Ci-AW! Ci-AW!" Roedd cri'r aderyn yn grasach, fel sŵn taro penglog wag ar garreg.

Trodd ei ben a gwelodd fod yr aderyn swnllyd yn nes ato, yn isel uwch ei ben. Cylchai o gwmpas gan ostwng a chodi fel petai'n dringo pontydd yn yr awyr. Roedd yn galw a galw yn swnllyd. Yna setlodd ar grib y to. Gwelodd Sardar ei fod yn aderyn du tebyg i frân ond bod ganddo big hir ar fymryn o dro, a hwnnw'n hollol goch. Roedd ganddo goesau a chrafangau cochion hefyd. Edrychai modrwy dywyll ei lygad arno.

Trodd Sardar i fynd yn ôl i mewn drwy'r drws. Roedd dwy gadair a bwrdd yma hefyd. Roedd myg enamel gwyn ar y bwrdd. Gwelodd fod lludw yn y lle tân.

Croesodd yr ystafell i agor y drws i'r ystafell gefn. Roedd bwrdd arall yno. Llwy a dau dun ar y bwrdd. Drws arall yn y cefn. Ysgol i'r llofft.

Roedd yr aderyn pig coch wedi tawelu'r tu allan.

Teimlodd Sardar ychydig yn anesmwyth.

Trodd ei ben. Roedd y drws y daeth i mewn drwyddo yn dal yn agored. Ond roedd dyn yn sefyll yno.

Gwallt cyrliog du bron at ei ysgwyddau oedd ganddo a

hwnnw'n britho o gwmpas ei glustiau. Llygaid tywyll hefyd, a hen sach dros ei ysgwydd. Gwisgai siaced a throwsus gwaith. Roedd ei law dde yn dal ymyl y drws, ond ar y fraich arall yr hoeliodd sylw Sardar.

Nid oedd ganddo law chwith yn llawes ei gôt. Roedd darn o bren tywyll lle y dylsai'r llaw fod. Ar flaen y pren roedd dau ddarn byr o haearn, fel fforch bigog.

Rhewodd Sardar am hanner eiliad.

Roedd wedi gweld digon.

Trodd a rhedeg am ddrws pellaf yr ystafell gefn. Diolch byth, roedd yn agored ac ymhen dim roedd allan o'r teras ac yn rhedeg rhwng dwy wal uchel o gerrig llwydion. Bwlch ar y dde. Aeth trwyddo i adeilad mawr ac ynddo offer gwaith yma ac acw. Taflodd gip dros ei ysgwydd ac roedd yn sicr ei fod wedi gweld cysgod tywyll yn ei ddilyn heibio talcen y teras.

"Ci-aw! Ci-aw!" Roedd yr hen dderyn yna'n hedfan ar hyd y lle eto.

Roedd ffenest fawr yn wal bellaf y gweithdy wedi disgyn ar lawr. Brysiodd Sardar ati a rhoi naid ar y silff a llamu drwyddi. Roedd mewn lle agored. Tri thŷ tal yn rhes ar y chwith a phob drws wedi'i gau. Wal isel ar y dde ac yna troed y domen lechi oedd ar hanner cylch yn cau am y pentref bach.

Rhedodd rownd cornel y wal. Cwt neu ddau. Yn nes at waelod y domen roedd cwt isel a chrawiau anferth o lechi ar ei do. Rhedodd ato ac yna cylchu at ei gornel bellaf. Roedd un wal o'r cwt bychan yng nghesail y domen ond yn y wal bellaf roedd ffrâm drws isel. Agorodd y drws. Prin y gallai weld dim. Aeth i mewn, gan grymu'i ben. Ni allai sefyll yn ei lawn faint o dan y to. Eisteddodd ar ganol y llawr. Bron na allai gyffwrdd pedair wal y cwt heb symud, gan ei fod yn gwt mor gyfyng. Caeodd y drws yn dynn o'i ôl. Roedd yn hollol dywyll. Teimlodd y llawr. Roedd rhyw lwch garw ar wyneb y llawr cerrig.

"Ci-aw! Ci-aw!"

Clywodd Sardar yr aderyn yn uchelderau'r awyr y tro hwn.

Arhosodd yno'n ddistaw.

Pwy ydw i? meddyliodd Sardar yn ei gwt du. Dwi mewn pentref gwag gydag aderyn diarth a bwystfil gwyllt o ddyn. Neb yn siarad fy iaith. Neb yr un lliw â mi. Dim bwyd. Niwl, glaw a thywyllwch.

Meddyliodd am ei fam yn y stryd gefn yn nociau Lerpwl. Dyna lle y dylsai fod. Roedd wynebu'r bomiau yn well na hyn.

Meddyliodd am ei dad yn y ffatri gotwm yn Oldham. Gweithio ym myd y cotwm oedd gwaith ei deulu erioed. Roedd ei dad a'i daid yn nyddu a gwehyddu cotwm. Dylai yntau fod yno'n dysgu'r grefft gan ei dad. Cofiai'r balchder yn wyneb ei dad pan ddwedodd wrtho unwaith mai crefftwyr India oedd yn cynhyrchu'r dillad gorau yn y byd am gannoedd o flynyddoedd.

Teimlai Sardar ar lwgu.

Ond beth oedd hynny? Roedd wedi cael brecwast gan Miss Elen a Miss Marian y bore hwnnw. Pe na bai ond yn cael un pryd y dydd, byddai hynny'n fwy nag y byddai llawer yn ei gael yn ôl yn y Punjab. Newyn. Dyna un o'r rhesymau pam bod ei fam a'i dad wedi dod ag ef i Loegr – mi ddwedwyd hynny wrtho lawer gwaith. Er nad oedd fawr ddim ar eu platiau nhw yn y tŷ yng nghefn dociau Lerpwl, roedd yn well na'r hyn oedd yng nghartrefi'r Punjab. Sawl gwaith y clywsai hynny.

Rhaid cael arian cyn cael bwyd. Roedd gwaith yn Lloegr ac roedd arian yn y gwaith. Felly roedd y dewis yn syml. Symud. Na, nid dewis syml. Doedd dim dewis o gwbl i bobl fel nhw.

Roedd yn rhaid iddyn nhw dderbyn yr hyn a gâi ei roi iddyn nhw. Dod o dwll o dŷ o strydoedd cefn tref fawr, flêr, fudur yn y Punjab i dwll o dŷ yn strydoedd cefn dociau Lerpwl. Dŵr a thŷ bach tu allan i'w rannu gyda phawb arall yn y sgwâr. Doedd stafell fyw y tŷ ddim mwy na'r cwt du yma.

Symud eto. Dim dewis y tro hwnnw chwaith. Cyrraedd yr ysgol yn Lerpwl un bore a swyddog yn rhoi papur a rhif ar ei gôt. Rhoi pecyn yn ei law. Doedd dim amser i fynd adref. Dim amser i ffarwelio â'i fam. Doedd ei fam ddim adref, p'run bynnag. Rhes ohonyn nhw'n cerdded am y trên a seirenau'r bomiau i'w clywed eto.

Dod allan o'r trên yma yng nghanol mynyddoedd. Mynyddoedd a thomenni o gerrig dieithr. Geiriau dieithr. Wynebau dieithr. Ond ambell beth cyfarwydd. Roedd wedi arfer cael ei alw'n 'Rag Head' yn yr ysgol yn Lerpwl ac roedd wedi dysgu bod 'Pen Cadach' yn union yr un fath â hynny.

Roedd ei sgidiau yn fudur bob amser, yng ngolwg Miss Marian. Roedd hi'n edrych ar y lliain wrth y sinc bob tro y byddai'n sychu'i ddwylo ynddo, yn disgwyl i hwnnw fod yn fudur hefyd. Na, doedd dim yn newydd yn hynny.

Ond roedd Miss Elen yn wahanol, rhaid oedd cyfaddef hynny.

Ac wrth gwrs, Nel Manod ...

Pennod 8

Cododd y niwl ond daeth y glaw ar ôl cinio i Dan y Clogwyn hefyd.

"Dydi hi ddim ffit i feddwl mynd i fyny yna," meddai Brei Drws Nesa yng nghegin Rhif 9.

"Ond Brei, mae Sardar allan yn hwn. A does ganddo ddim syniad ..."

"Brei ŵyr gallaf," meddai Anwen Jones. "Ti'n meddwl y gwnaiff y gawod yma basio?"

"Hei lwc," atebodd Brei. "Mae 'na dipyn o wynt tu ôl iddi hi. Mae 'na siawns go dda y caiff ei chwythu dros y mynydd."

Awr a hanner yn ddiweddarach, roedd yr awyr wedi clirio a dyma'r tri yn ei chychwyn hi ar lwybr Bryn Egryn. Ymlaen wedyn, heibio'r tomenni a'r llynnoedd nes cyrraedd y ffordd haearn bach.

"Rhywun isio llymaid neu afal?" gofynnodd Anwen Jones oedd wedi dod â fflasgaid o de ac ychydig o fwyd mewn sgrepan ar ei chefn.

"Cadw nhw ar ei gyfer o, Mam," atebodd Nel. "Pa ffordd aeth o wyt ti'n meddwl, Brei?"

"Petai o wedi troi i'r chwith, mi fyddai wedi dod i lawr yr inclêns i chwarel Maenofferen ac mi fyddai ar y Stryd Fawr erbyn hyn," atebodd Brei.

"Dde felly." A dechreuodd Nel gerdded i'r cyfeiriad hwnnw.

"Llyn Bowydd ydi hwn," meddai Brei wrth iddyn nhw gerdded heibio iddo. "A dacw chwarel Cwt y Bugail yr ochr draw i'r bwlch acw. Mi fyddai wedi bod yn niwl tew fel uwd pan fyddai Sardar yn cerdded y ffordd yma."

"Fyddai o wedi mynd i'r chwarel, ti'n meddwl?" gofynnodd Nel, gan edrych i gyfeiriad melinau'r gwaith wrth iddyn nhw eu pasio.

"Go brin y byddai o wedi gweld mor bell â hynny drwy'r niwl. Cadw at y ffordd haearn yma fyddai orau i ni, dwi'n meddwl."

Pan ddaeth y tri at y fforch yn llwybrau'r wageni, heliodd Brei ei feddyliau'n uchel eto.

"Petai wedi mynd i'r dde, mi fyddai wedi mynd i lawr Cwm Teigl ac mi fyddai wedi cyrraedd Manod. Mi fyddai dy ffrindiau wedi dod ag o acw ers tro, Nel. Chwith felly."

Daethant at adeilad y drwm winsio ar ben yr inclên.

"Inclên i godi wageni chwarel Rhiw-bach 'di hon," esboniodd Brei. "Roedden nhw'n codi'r wageni yn llawn o lechi i fyny i'r dramffordd ucha ac yn mynd â nhw ar hyd y mynydd wedyn ac i lawr inclêns Maenofferen a'r Foty i Sgwâr Diffwys i'w llwytho ar drên Stiniog."

"Wyt ti'n meddwl y byddai wedi mynd i lawr yr inclên yma?" gofynnodd Anwen Jones. "Mae hi'n serth, yn tydi?"

"Ydi. Rhy serth mewn niwl, yn saff i chi. Ella nad ydi o ymhell rŵan. Be am drio galw ei enw?"

"Sardar! Sardar! SARDAR!" Atseiniai'r gweiddi dros y mawndiroedd a'r tomenni.

Distawrwydd.

"Ci-aw! Ci-aw!"

"Be sy i lawr yn fan'cw?" gofynnodd Nel.

"Brân goesgoch ydi hon'na," esboniodd Brei. "Brân brin iawn ond mae hi'n nythu ar glogwyni rhai o'r chwareli yma."

"Na, nid y frân," meddai Nel. "Lawr wrth y felin. Dyna fo eto. Mae rhywun yn nrws y gweithdy yn fan'cw!"

"Ond nid Sardar ydi o chwaith," meddai Anwen Jones, yn ceisio'i adnabod.

"Na, ond mae ganddo wallt du, du," sylwodd Nel.

"Meirion Ddu," meddai Brei, ymhen ychydig.

"Mei? Wyt ti'n siŵr?" gofynnodd Anwen Jones. Roedd rhywbeth dieithr yn ei llais.

"Yr un Mei a fu'n dysgu Ieuan pan oedd o'n brentis yng Nghwt y Bugail?" holodd Nel.

"Ia," atebodd Brei. "Mi wna i alw arno fo a gofyn ydi o wedi gweld rhywun."

"Ia, gwna hynny," meddai Nel.

"Dyna fyddai orau, mae'n siŵr," cytunodd Anwen Jones.

"MEI!" chwifiodd Brei ei fraich arno. "Brei Tan y Clogwyn sy 'ma!"

Ymhen ychydig, wedi craffu arnyn nhw o'r gwaelodion, cododd Mei ei fraich yntau.

Rhoddodd Brei ei ddwy law o boptu'i geg a gweiddi mor glir â phosib:

"Chwil-io am hog-yn!"

Nodiodd Meirion Ddu ei ben a rhoi arwydd iddyn nhw ddod i lawr yr inclên.

"Mae o wedi gweld rhwbath neu rywun!" meddai Brei. "Awn ni i lawr ato?"

"Dydw i ddim yn mynd i lawr yr inclên yna," mynnodd

Anwen Jones yn reit bendant. "Tydi o ddim ymhell rŵan. Hwdwch y sgrepan yma. Mi a' i adra i baratoi swpar. Cofiwch chithau ei bod hi'n tywyllu'n gynt y dyddiau yma. Peidiwch ag aros yma funud mwy nag oes raid ichi."

Trodd Anwen Jones ar ei sawdl a dechrau cerdded ar y cledrau yn ôl am Gwt y Bugail a'r chwareli isaf.

"Ddo i efo ti, Brei."

Chymerodd hi fawr o dro i'r ddau ohonyn nhw gamu i lawr yr inclên. Roedd rhai o olwynion y ceblau codi wageni yn rhydu'n goch yma ac acw ar ei hyd. Toc, roedden nhw'n nesu at Meirion Ddu wrth un o'r waliau naddu.

"Welais i hogyn yn nhŷ'r llyfrgell yn Rhiw-bach," meddai hwnnw wrth Brei. "Roedd o ... yn wahanol."

Craffodd Nel ar y dyn gwyllt yr olwg o'i blaen. Oedd hi'n clywed rhyw bryder yn ei lais, tybed?

"Un tywyll oedd o!" Roedd y rhyddhad yn amlwg yn llais Nel.

"Ia. Pwy ydi hon, Brei?"

"Nel. Mae acw yn Nhan y Clogwyn rŵan. Nel Manod."

"Nel Manod Jones. Hogan Gai?"

"Dyna ti."

Edrychodd Mei yn hir ar ei hwyneb, a'i lygaid yn meddalu wrth iddo adnabod ei thad yn ei llygaid a siâp ei gên.

"Roeddech chi'n nabod Dad?"

"Roeddwn i efo fo pan ddigwyddodd y peth yna." Trodd i ffwrdd am ennyd. Toc, trodd yn ôl i wynebu Nel a gofyn, "Dy fam oedd y wraig ar ben yr inclên efo chi?"

"Ia."

"A sut mae Ieuan dy gefnder yn neud yn lle bynnag mae o erbyn hyn?"

"Dydan ni ddim wedi'i weld o ers misoedd. Ond 'dan ni'n cael ambell lythyr."

"Hogyn da 'i law ydi Ieuan. Hogyn yn defnyddio'i glustiau."

Symudodd Mei o ffrâm y drws a dyna pryd y daeth ei fraich chwith i'r golwg.

Rhoddodd Nel ebychiad o syndod wrth weld y llaw bren a'r ddau fachyn haearn ynddi.

Oedodd Mei ac edrych ar ei law.

"Damwain arall. Mae'r chwareli yma'n llawn ohonyn nhw. Weli di'r rwbel yma? Mae yna ddafn o waed ar bob carreg ym mhob tomen yn yr ardal yma. Dwi ddim yn amau nad gweld hon ddaru ddychryn yr hogyn yna."

"I lawr yn yr hen bentra roedd o, felly?" gofynnodd Brei, mewn tôn oedd yn awgrymu pam goblyn nad aen nhw i lawr i'r fan honno.

"Ia. Ond mi'i collais i o ..."

"Ei golli o?" gofynnodd Nel.

"Wel, mi ddychrynais i o, ella ..."

"Wnaethoch chi ei ddychryn o!"

"Wnes i ddim cyffwrdd blewyn yn ei ben o, hogan. Wel, fedrwn i ddim yn hawdd a fynta'n gwisgo'r tyrban yna. Mae'n rhaid 'mod i'n edrych yn odiach na fo oherwydd mi wnaeth ei g'leuo hi allan o'r tŷ fel cath i gythra'l."

"A dach chi wedi dod i fyny fan'ma wedyn?" gofynnodd Brei.

"Mi chwiliais i ym mhob tŷ a melin a baric yn Rhiw-bach. Hyd yn oed y tai bach. Dim golwg ohono fo."

Edrychodd Mei tua'r awyr.

Edrychodd Nel arno'n fanwl. Gwelodd y gwallt blêr, y dillad llychlyd, yr wyneb wedi'i dywyllu gan flewiach-heb-siafio-ers-wythnos, a'r baw dan winedd y llaw dde. A'r grafanc. Doedd dim syndod fod Sardar wedi rhedeg. Ond roedd rhywbeth yn pwyso ar y dyn garw yma hefyd.

"Ddois i fyny yma rhag ofn ei fod wedi dringo'r domen a llechu yn un o'r gweithdai yma. Ond mae Arthur yn deud nad ydi o yma." Daliai i edrych i'r awyr.

"Arthur?" holodd Brei.

Nodiodd Mei i gyfeiriad yr aderyn oedd yn troelli uwch ben ac yn agor plu ei adenydd fel pum bys mawr tew wrth godi a disgyn ar donnau'r awyr.

"Y frân goesgoch?" meddai Brei wedyn.

"'Dan ni'n nabod ein gilydd yn well na hynny," meddai Mei. "Brân Arthur yw'r enw arall arni hi. Ar glogwyni'r hen Geltiaid mae hi'n dal ei thir. Mae wedi mynd yn brin ym mhob man heblaw am greigiau Cymru, Cernyw ac Iwerddon. Ynys Manaw a gorllewin yr Alban hefyd. Hen dir y brenin Arthur. Glywaist ti am hwnnw?"

Anelodd y cwestiwn at Nel, gan edrych i fyw ei llygaid.

"Do," atebodd hithau'n bendant. "Mae o a'i fyddin yn cysgu yma mewn ogof yn rhywle, yn tydi, yn disgwyl am y dydd i'n harwain ni i ryddid. Ella bod ei gleddyf yn un o'r llynnoedd yma."

Gwnaeth Meirion Ddu ryw sŵn yn ei wddw ond roedd golwg fodlon ar ei wyneb.

"Ac Arthur ydi enw'r deryn acw. AR-THUR!"

Hedfanodd y frân i lawr atyn nhw wrth glywed yr alwad. Eisteddodd ar ben wal garreg hyd braich oddi wrth Meirion.

Studiodd Nel y pig a'r coesau cochion.

"Lle mae o, Arthur?" gofynnodd Mei. "Dangos! Dangos!"

Cododd y frân ar ei haden eto a hedfan yn syth at ddibyn y domen.

"Dewch!" meddai Mei. "Mynd â ni'n ôl at lwybr Rhiw-bach mae Arthur."

Cychwynnodd y tri ar hyd pen y domen ac yna i lawr y llwybr igam-ogam. Wrth gyrraedd y pentref, gwelsant fod Arthur yn mynd yn ei flaen at y domen lechi bellaf.

"Dydi'r deryn dwl yna'n dallt dim wedi'r cwbwl," meddai Mei. "Does yna ddim y tu ôl i'r wal acw ond rwbel y domen."

Cerddodd Nel at y wal. Craffodd oddi tano'r lle roedd Arthur yn troelli.

"Ci-AW! Ci-AW!"

"Be ydi'r cwt crawiau yna?" gofynnodd Nel.

"Be weli di, hogan?"

"Mae 'na fwsog drosto i gyd, ond mae yna do o lechi mawr llydan garw yn isel wrth droed y domen," meddai Nel wedyn.

"Lle weli di ... O, hwn'na. Y cwt powdwr ... cwt y powdwr du ..." meddai Mei. "Na, tydi o ddim yn fan'no iti. Powdwr chwythu'r creigiau yn y chwarel oedden nhw'n ei gadw yn hwn'na. Digon pell o olwg pawb rhag ofn iddo danio a chwythu. Hen beth felly ydi powdwr du ..."

Yn ddiarwybod iddo'i hun, roedd Meirion Ddu yn edrych ar stwmpyn ei fraich chwith.

"Dwi'n mynd i edrych." Cerddodd Nel heibio pen y wal.

"Cym di'r ofal mwyaf! Cofia di pam eu bod nhw wedi rhoi'r cwt yna mor bell o'r tai ac wedi hanner ei gladdu yn y domen."

"Aros, Nel. Dwi'n dod efo ti!" A brysiodd Brei ar ei hôl. Ond roedd Meirion Ddu wedi brasgamu heibio'r ddau ohonyn nhw.

"Sardar!" gwaeddodd Nel, wedi cyrraedd cefn y cwt.

Dim smic.

"SARDAR!"

Cerddodd y tri rownd corneli'r cwt nes cyrraedd y talcen lle roedd y drws isel. Roedd bron o'r golwg yn y rhedyn.

"Ci-AW! Ci-AW!" galwai Arthur uwch ben.

Curodd Meirion Ddu ar y drws.

"Nel sy 'ma," meddai hithau o'r tu ôl iddo.

Daeth rhyw sŵn o'r ochr arall i'r drws.

Gwthiodd Meirion y drws yn gilagored. Gwthiodd Nel ei phen heibio'r sach oedd ar ei ysgwyddau a gwelodd Sardar yn eistedd ar lawr a'i goesau wedi'u plethu a'r tywyllwch yn cau o'i gwmpas.

"Sardar, tyrd o'ma," meddai Nel.

* * *

"Mae'n amser inni ddechra yn ôl i lawr am Stiniog," meddai Brei.

Yn nhŷ Meirion Ddu yr oedd y pedwar bellach – pump wrth gynnwys Arthur oedd ar garreg uwch y lle tân.

Petrusgar iawn oedd Sardar i nesu at Meirion yn y cwt powdwr. Ond llwyddodd y tri i'w berswadio i ddod allan yn y diwedd.

"Tyrd," meddai Meirion, ac roedd Nel wedi troi i edrych arno'n syn wrth glywed yr addfwynder yn y llais dwfn. "Tyrd. Dim cuddio."

Cafodd y geiriau effaith ar Sardar. Daeth allan o'r cwt du. Edrychodd i fyny tua'r awyr. Sythodd a dilynodd Meirion Ddu yn ôl at bentref y chwarelwyr.

Un drws ymhellach draw na thŷ'r llyfrgell yn Rhiw-bach roedd Mei – mynnai fod pawb yn ei alw'n 'Mei' bellach – wedi gwneud ei wâl. Yno y cafodd Sardar y te o'r fflasg a bara a chaws o'r sgrepan.

"Diol ... chch," meddai Sardar wrth Mei wrth ei adael ar riniog y drws.

"Wyt ti ddim yn unig yma, Mei?" gofynnodd Brei. "Does 'na neb arall yma rŵan, yn nagoes?"

"Roedd yma bentra cyfan," meddai Mei. "Nid dim ond barics gweithwyr. Roedd y gwragedd yma hefyd. Teuluoedd. Plant. Roedd yna dros ugain o blant yn yr ysgol yma ar un adeg. Roedd yma ysgol Sul, steddfod – a llyfrgell. Hen bentra niwl mynydd, cofiwch – tai tamp a llond y lle o lygod, llau a chwain. Chwech o bobol a phlant ym mhob tŷ teras."

"Ond mae hi mor wag yma rŵan, Mei."

"Mae'n llawn i mi, Brei."

"Cofio," meddai Sardar, gan edrych i wyneb Mei.

"Ti'n llygad dy le," atebodd Mei.

"Llygad dy le?" gofynnodd Sardar yn ddryslyd.

"Ti'n hollol iawn," esboniodd Nel. "Rho fo yn dy lyfr."

Tra oedd y bachgen yn ei ychwanegu at ei eirfa, edrychodd Meirion gyda diddordeb yn y llyfr nodiadau.

"Dysgwr da," meddai wrtho. "Dwi'n hoff iawn o ddysgwyr da."

"Oedd Ieuan fy nghefnder yn ddysgwr da yng Nghwt y Bugail, Mei?"

"Ieuan oedd y gorau gefais i erioed," atebodd Mei.

Hedfanodd Arthur o'r tŷ a chlwydo ar y wal allan.

"Mi all Arthur ddangos y ffordd i Fwlch Slatars os dewch chi heibio eto," meddai Mei.

"Bwlch Slatars?" holodd Nel, yn llawn cyffro.

Ddywedwyd dim pellach.

Cerddodd y tri i fyny'r llwybr i ben y domen. Wrth droi'n ôl i daflu cip olaf cyn mynd am y felin a'r inclên, gwelsant nad oedd Meirion Ddu wedi symud gewyn. Daliai i edrych i fyny atyn nhw.

Ar lwybr ffordd haearn Rhiw-bach y siaradodd Nel nesaf.

"Yn chwarel Bwlch Slatars y cafodd Dad ei ladd."

"Wn i," meddai Brei. "Dw inna'n dechra gweithio yno mewn pythefnos."

"Ti'n mynd yn ôl i'r chwarel?"

"Ydw, ond gweithio i'r Ministry of Works y bydda i. Maen nhw'n meddiannu rhan ohoni, a dyna i gyd dwi'n ei wbod ar hyn o bryd."

Rhan 2

RHIW-BACH

—1941—

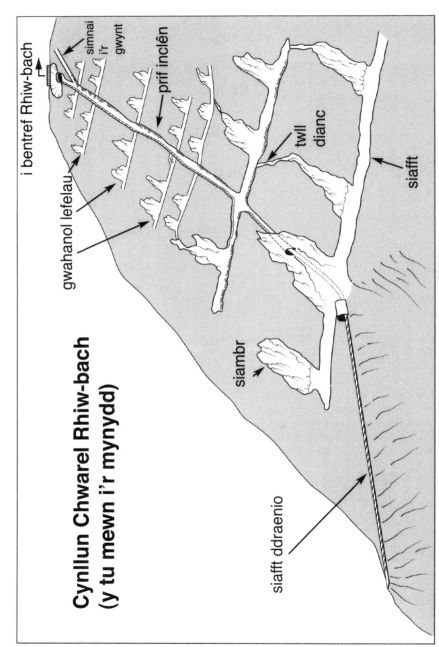

Cynllun Chwarel Rhiw-bach
(y tu mewn i'r mynydd)

i bentref Rhiw-bach

simnai i'r gwynt

prif inclên

gwahanol lefelau

twll dianc

siafft

siambr

siafft ddraenio

Pennod 1

Blaenau Ffestiniog, Dydd Gwener, 1 Awst 1941

"Lluchia hi!" gwaeddodd Sardar ar ben yr argae.

Taflodd Idwal y garreg wen gron i'w gyfeiriad, gan ofalu ei bod rhyw ddwylath oddi wrtho, ar lwybr uwch ben dŵr y llyn.

Neidiodd Sardar draw i'r awyr, daliodd y garreg wen a glanio gyda sblash yn y gronfa ddŵr. Cymeradwyaeth fawr ar y lan. Roedd ei wallt llaes wedi'i hel yn dusw ar ei gorun. Doedd o ddim yn gwisgo'i dyrban, wrth gwrs, ond roedd patka yn gorchuddio'i gwlwm gwallt. Doedd yr un o'r lleill yn troi blewyn wrth weld ei arferion gwahanol erbyn hyn.

"Tyrd yn dy flaen, Nita – ti sy nesa," gwaeddodd Sali. "Gawn ni weld pwy ydi'r gorau, Maenofferen neu Manod, ia?"

"Mae'r dyddiau yna drosodd," meddai Nel. "Ysgol Ganol neu'r Ysgol Sir ydi hi rŵan!"

"Un-dim i ni'r Ysgol Ganol, felly," meddai Idwal.

"Barod!" gwaeddodd Sali.

Tafodd Idwal garreg wen arall a daliodd Sali hi. I'r Ysgol Sir y byddai hi'n mynd fis Medi, ynghyd â Gwenda a Gwynfor. Methodd y ddau arall â dal y cerrig ond llwyddodd Nel ac Idwal gan roi'r fantais i'r Ysgol Ganol.

Gorweddai'r criw ar ben yr argae wedyn, yn sychu'u crwyn yng ngwres un o ddyddiau poethaf y gwyliau. Er eu bod wedi mynd i ddwy ysgol gynradd wahanol ac er y byddai eu llwybrau'n gwahanu mewn ffordd newydd wrth dderbyn addysg uwchradd, roedden nhw'n un criw erbyn hyn. Roedd Adran yr Urdd wedi creu cymdeithas newydd iddyn nhw a'r gweithgareddau yn eu tynnu at ei gilydd.

Doedd Sardar ddim yr un un, meddyliodd Nel wrth ei wylio'n fflicio sleifars o lechi rhwng ei fys a'i fawd a'u cael i sboncio ar wyneb y dŵr.

"O! Deuddeg sbonc!" gwaeddodd Sardar. "Dwy yn well na ti, Gwynfor."

Roedd ei Gymraeg fel petai'n hogyn o'r Blaenau erioed, meddyliodd Nel. Roedd ei rieni wedi bod draw yn ei weld yr wythnos cynt a chofiodd y sioc bleserus a gawson nhw wrth ei glywed yn parablu iaith oedd mor ddieithr i'w clustiau. Doedd pethau ddim yn dda yn Lerpwl chwaith. Roedd y rhan fwyaf o stryd eu cartref wedi'i bomio a doedd eu cartref ddim yn ffit i neb fyw ynddo bellach. Roedd mam Sardar wedi symud i fyw mewn ystafell gyfyng yn Oldham at ei gŵr a chriw o weithwyr eraill. Doedd y llety ddim yn addas nac yn ddigon helaeth i'w plentyn fynd atyn nhw. Ond ar ôl ei weld yn y Blaenau, roedden nhw'n fodlon ei fod yn ddigon hapus ei fyd yno.

Gan fod y dŵr mor glir, roedd y cerrig cwarts gwyn i'w gweld ar waelod y llyn. Aeth hi'n gystadleuaeth deifio i'w codi wedyn.

"Beth ydi'r cerrig gwynion yma?" holodd Sardar. "Dwi wedi gweld llawer o gwmpas y llechweddau ac yn sownd wrth ddarnau o lechen yn y tomenni."

"Cwarts ydi'r enw," meddai Gwynfor. "Maen nhw i'w cael yn aml lle mae yna lechi. Wyddoch chi fod y llechi a'r cwarts yma yn 500 miliwn o flynyddoedd oed?"

"Gwyliau ydi hi, Gwynfor!" gwaeddodd Nel. "'Dan ni ddim isio gwers ddaearyddiaeth arall gen ti!"

Athro daearyddiaeth yn yr Ysgol Sir oedd tad Gwynfor. Ond roedd Sardar wedi'i fachu gan y testun.

"Ddwedaist ti ryw dro mai carreg fwd ydi llechen, yn do, Gwynfor?" gofynnodd Sardar.

"Ia, mwd yn hel ar waelod y môr ac wedyn lludw folcanig poeth yn disgyn ar ei ben a'i grasu," atebodd Gwynfor.

"Fel tost dan gril," meddai Idwal.

"Rhwbath felly, ia."

"Ond be ydi'r cwarts, 'ta?" holodd Sardar.

"Maen nhw'n meddwl mai dŵr hallt y môr wedi'i ddal dan haenau o fwd ac yn cael ei grystaleiddio ydi'r cerrig gwynion 'ma," meddai Gwynfor gan ddal un i fyny at yr haul.

"Dŵr môr wedi crystaleiddio!" meddai Nita. "Swnio fel gemwaith gwerthfawr!"

"Ydi'r garreg yn werth pres?" holodd Sardar.

"Na, mae hi'n rhy gyffredin," atebodd Gwynfor. "Mae hi'n ddel yn ein gerddi ni ac o gwmpas beddau yn y fynwent, ond mae hi'n chwalu wrth i ti drio codi sglein arni. Tasa'r cwarts yma wedi cael eu crasu'n galetach, mi fasan wedi troi'n ddiamwntau."

"Diamwntau!" meddai Beti. "Meddyliwch cyfoethog fasan ni wedyn!"

"Cerdded y tomenni yma yn hel diamwntau fyddai'n hanes ni!" chwarddodd Gwenda.

"Peidiwch â bod yn rhy siŵr," meddai Sardar. "Os oes gen ti gyfoeth yn dy wlad, mae rhywun yn siŵr o ddod yna i drio'i ddwyn oddi arnat ti."

"Fel mae Hitler yn dwyn trysorau Paris rŵan, ti'n feddwl?" gofynnodd Delyth.

"Mae yna sawl Hitler wedi bod yn hanes y byd," meddai Sardar. "Ar un adeg, roedd holl ddiamwntau'r byd yn dod o India. Ond tlawd iawn ydi'r bobl yno o hyd."

"Wel, mae hynny'n wir am Stiniog hefyd, yn tydi?" meddai Gwenda. "Mae'r rhai oedd yn cloddio am y llechi mewn tai teras, a'r rhai gafodd y pres amdanyn nhw mewn plasau mawr crand."

"A phan mae petha'n mynd yn galed yn y gwaith, y chwarelwyr sy'n gorfod gadael," cytunodd Idwal.

"Fel Rhiw-bach," meddai Nel, ei llygaid yn crwydro ar hyd llwybr lein bach y wageni at domenni Cwt y Bugail yn y bwlch.

"Pentra marw," meddai Gwynfor. "Cyn hir mi fydd y toeau wedi syrthio a fydd yna ddim byd yma ond adfeilion."

"Ond siawns na fydd y chwareli i gyd yn agor ar ôl y rhyfel?" meddai Idwal. "Mi fydd angen llechi i ailadeiladu Lerpwl a Llundain a'r llefydd yma i gyd."

"Nid felly oedd hi ar ôl y Rhyfel Mawr, yn ôl Mam," meddai Nel. "Agor am 'chydig a chau wedyn wnaeth llawer o'r chwareli, a'r hogiau ddaeth yn ôl o ffosydd Ffrainc ar y clwt."

"Go brin y daw'r chwarelwyr yn ôl o'r fyddin y tro yma i weithio am geiniog a dimai i feistri'r Plas eto," meddai Gwynfor. "Na, mi fydd pawb isio cyflog teg. Ac wedyn mi wnân nhw fynd i chwilio am ddeunydd toi sy'n rhatach na llechi Cymru."

"Ond ein llechi ni ydi'r llechi gorau yn y byd," meddai Delyth.

"Yr unig reswm roeddan nhw'n cael eu defnyddio oedd eu bod nhw i'w cael yn rhatach yma nag yn unlle arall yn y byd," atebodd Gwynfor. "Mi gafodd y chwarelwyr eu gwasgu i'r graig, ac os nad ydyn nhw'n fodlon cael eu gwasgu, mi fydd y gwaith yn gadael. Fydd yna ddim byd yma wedyn ond pentrefi marw."

Taenodd tawelwch dros y criw wedi hynny.

Tywynnai'r haul yn felyn aur. Roedd dŵr y llyn mor las â'r awyr. Ond teimlai'r bobl ifanc ryw chwa oer yn codi o rywle.

"Lle mae 'nillad i?" holodd Nel. "Dwi'n dechra rhynnu."

"Mae'n oeri'n gynt yn y topiau yma," meddai Beti, gan ymestyn am ei chrys hithau.

"Pa mor uchel uwch y môr mae Llyn Bowydd, Gwynfor?" gofynnodd Nel.

"O, rhyw fil a hanner o droedfeddi. Reit uchel hefyd, tydi?"

"Gen i ffansi mynd am dro i gyfeiriad Rhiw-bach," meddai Nel. "Dwi heb fod yno ers Medi diwetha. Rhywun awydd dod?"

"Na, dwi'n mynd yn ôl i lawr," meddai Nita. "Te penblwydd Nain heddiw a Mam wedi siarsio."

"Ddo i lawr efo ti," meddai Idwal, ac roedd y rhan fwyaf o'r lleill yn how gytuno.

"Ddo i efo ti am dro at Rhiw-bach," meddai Gwynfor. "Roedd Taid yn gweithio yno amser maith yn ôl. Ac yn byw yno."

"Ddo innau hefyd," meddai Sardar.

* * *

Roedd yr inclên i lawr at gwt y peiriannau a'r simnai fawr fel yr oedd Nel yn eu cofio, ond bod mwy o laswellt rhwng y llechi mân ar lawr bellach.

"Rhyfedd meddwl bod rhyw ddau gant o ddynion yn gweithio yma ar un adeg," meddai Gwynfor. "A bod pob un wedi gadael."

"Roedd yna rai yn dal i weithio yma nes i'r rhyfel dorri, yn doedd?" meddai Nel.

"Oedd. Mae'r lle'n iawn i'w ailagor ar ôl y rhyfel hefyd," atebodd Gwynfor. "Dydi'r graig ddim ar frys i symud i unman, ond faint o grefftwyr fydd ar ôl ydi'r peth."

"Ci-aw! Ci-aw!"

"Arthur!" meddai Sardar, gan wylio'r frân goesgoch uwch yr hen felin.

"Mae yna un arall yma yn rhywle," meddai Nel, "Hist!"

Fferrodd y tri a chlywsant sŵn "swish-swish" yn dod o un o'r waliau hollti a naddu.

"Cyllell fach ar y drafal," sylwodd Gwynfor. "Mae yna rywun yn gweitho yn yr hofel acw!"

"Meirion Ddu sy yno, neu mi fwyta i dyrban Sardar," meddai Nel.

"Mei ... ?" holodd Gwynfor.

"Tyrd. Ddangosa i iti," meddai Nel.

"Cyllell fach, drafal, hofel ... dydi'r enwau yna ddim yn fy llyfr i," meddai Sardar gan grychu'i dalcen.

"Ti 'rioed yn deud nad ydi Llyfr Bach y Geiriau ddim yn gyflawn!" tynnodd Gwynfor ei goes. "Ro'n i'n meddwl fod pob gair sy'n y geiriadur yn dy boced tin di erbyn hyn!"

"Tyrd," meddai Nel. "Gei di weld be ydi'r geiriau yna a

rhoi eu lluniau yn dy lyfr bach."

Wrth nesu at sŵn y naddu, gwaeddodd "Helô?" dros y lle.

Distawodd sŵn y gyllell.

"Pwy sy'n gofyn?" meddai'r llais garw.

Cyrhaeddodd y tri adwy'r wal.

"Pobol ddiarth!" meddai Mei. "Ro'n i'n meddwl y bysach chi'n ôl cyn hyn. O, ac mae yna dri ohonoch chi?"

"Aeth hi'n dywydd mawr hydre diwethaf," meddai Nel. "Doedd Mam ddim yn gadael inni ddod i fyny i'r mynydd yma."

"Mm. Dy fam, ia?" meddai Mei.

"Hew, dach chi'n medru dal llechen efo'r ddau fachyn yna sy gennoch chi ar y pren i fyny'ch llawes chi," rhyfeddodd Gwynfor.

"Mae'n joban ara deg, cofia," meddai Mei. "Does yna fawr o gyfri o lechi ar ddiwedd y dydd. Ond mae'n ddigon i mi."

"Dach chi'n dal i weithio yma felly?" gofynnodd Sardar.

"Ddim am gyflog. Trin rhai o'r cerrig gorau a chario 'chydig ar y tro i lawr i Gwm Penmachno."

"Lle mae fan'no?" holodd Nel.

"Lawr ochr arall y mynydd yma. Ochr Dyffryn Conwy. Mae yna bentra ym mhen ucha'r cwm. Mae yna adeiladydd gymrith fy llechi i yn fan'no a setlo fy mil i yn y siop."

Rhoddodd un ergyd arall i'r llechen â'r gyllell fach er mwyn ei sgwario, rhwbio ymylon y llechen ar wyneb y drafal a'i gosod wedyn at bentwr o lechi gorffenedig oedd ar eu cyllyll yn erbyn y blocyn tin.

"Digon am heddiw," meddai a tharo clwt dros lafn y drafal, codi ar ei draed a cherdded atyn nhw i'r adwy.

"Mae Sardar isio iti esbonio'r geiriau chwarel yma iddo fo," meddai Nel.

Trodd Meirion Ddu at y bachgen tywyll gyda diddordeb.

"Mae hi'n grefft, ac fel efo pob crefft mae ganddi ei geiriau ei hun," meddai wrtho. "Dwi'n eistedd ar hwn – y blocyn tin. Y drafal ydi'r darn yma o fetel – rhyw fath o geffyl cul lle bydda i'n naddu ymylon garw'r llechen yn llinell syth fel hyn efo'r gyllell fach. Mae'r cynion yma ar lawr ar gyfer hollti llechi. Mi ga i ddeuddeg llechen o flocyn modfedd o drwch os bydd hi'n graig dda."

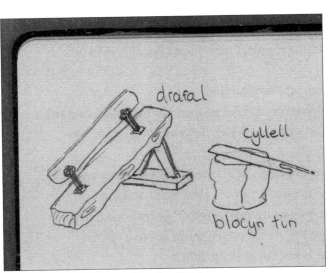

Offer naddu llechi

Dangosodd Meirion y grefft a thynnodd Sardar luniau o'r offer yn ei lyfr bach.

"Ci-aw! Ci-aw!" galwodd y frân y tu allan i'r hofel lle roedd y chwarelwr yn gweithio ac yn storio'r llechi gorffenedig.

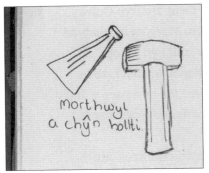

Morthwyl a chŷn hollti

"Ydw, ydw Arthur, dwi wedi neud digon am heddiw," meddai Mei wrth yr aderyn.

Cerddodd draw ar hyd y llwybr pen domen a throi'n ôl yn sydyn at y tri arall.

"Amser te?" Trodd yn ôl a cherdded yn ei flaen heb ddisgwyl ateb.

Toc, roedden nhw i gyd yn ei dŷ yn rhes Rhiw-bach.

"Menyn go iawn, ylwch," meddai Mei wrth ei daenu ar wyneb y dorth. "Haws ei gael yma nag yn Stiniog, fentra i."

Yn sydyn, roedd y tri yn reit llwglyd a dyma wneud tegwch â'r bara a chaws a'r paneidiau o de a osodwyd o'u blaenau.

"Ydach chi'n hoff iawn o Rhiw-bach, mae'n rhaid," meddai Sardar.

"Dwi'n cofio llond y barics o chwarelwyr yn aros yma ar hyd pob wythnos waith," meddai Mei. "Roedd yna deuluoedd yn y pentra hefyd a chriw o blant. Ond ddim ond rhyw ddeng mlynedd yr arhosodd yr ysgol ar agor."

"Roedd ysgol yma!" rhyfeddodd Gwynfor.

"Oedd, yn y sied fawr sinc ym mhen y rhes yma."

"Oedd 'na brifathro felly?" gofynnodd wedyn.

"Un athrawes. Kate Hughes. Roedd hi'n dod i fyny'r inclêns o Stiniog yn un o wageni'r chwarel. Cerdded ar hyd y lein ac wedyn 'nôl adra drwy Chwarel Graig Ddu a lawr drwy'r inclên serth efo rhyw styllen ar olwynion o dan ei thin. Car gwyllt maen nhw'n ei alw."

"Dwi wedi gweld rhai'n defnyddio'r rheiny yn Manod," meddai Nel.

"Be ddigwyddodd i'r plant ar ôl i'r ysgol gau?" gofynnodd Sardar.

"Aeth rhai i Ysgol Cwm Penmachno, rhai eraill i Manod," atebodd Mei. "Roeddan ni'n cynnal ysgol Sul yn yr adeilad sinc wedyn hefyd. Ac roedd ganddon ni lyfrgell ..."

"Ni, meddet ti?" meddai Nel. "Oeddat ti'n athro ysgol Sul, Mei?"

"Helpu nhw i ddarllen, Nel. Mae gen ti gwmni am byth os wyt ti'n ffrindiau efo llyfrau."

"Mae hynny yn hollol wir," meddai Sardar, gan roi tap ysgafn ar y llyfr bach yn ei boced tin.

"Be ddigwyddodd i'ch llaw chwith chi, Mei?" mentrodd Gwynfor ofyn.

"Creigiwr oeddwn i. Cadwyn yn ddolen am dop dy goes a chael dy ollwng ar hyd wyneb clogwyn i neud twll efo ebill. Dyna oedd fy ngwaith i. Pan oedd y twll crwn yn ddigon dwfn, roedd yn rhaid tywallt powdwr du iddo fo." Trodd i edrych ar Sardar.

"Wn i erbyn hyn," atebodd Sardar. "Powdwr gwn."

"Ei wasgu i'r twll, gosod taniwr a ffiws. Goleuo'r ffiws ac allan o'r lefel. Dyna oedd i fod i ddigwydd. Ond weithiau mi fyddai 'na wres yn y twll, neu gwreichionen yn neidio o rywle ac mi fyddai'r twll yn chwythu'n gynnar. Mi fues i'n lwcus. Dim ond fy llaw chwith. Mi fasa wedi medru mynd â hanner fy wyneb i."

Distawrwydd heb chwithdod ynddo ddilynodd hynny. Roedd y tri'n rhannu'r un teimlad.

"Oedd yna lawer o ddamweiniau yn y chwarel?" gofynnodd Gwynfor.

"Bob dydd, waeth iti ddeud. Rhai'n waeth na'i gilydd. Wyddet ti ddim o ble y dôi'r un nesa. Dwi'n cofio un rybelwr yn cael ei ladd gan bibonwy mawr."

"Pibonwy?"

"Rhew yn hongian. Cloch iâ fel ti'n ei gael dan fondo'r tai yn y gaeaf. Roedd yna bibonwy tew yn y fynedfa i'r chwarel un gaeaf."

"A be ddigwyddodd?" gofynnodd Nel.

"Symud rwbel o dan hwnnw roedd o. Roedd ei fêts o wedi'i rybuddio. Pan gynhesodd hi wrth i'r dydd fynd yn ei flaen, toddodd y rhew fymryn ac mi syrthiodd y pibonwy fel picell ar ei ben o."

"Roeddach chi yn chwarel Bwlch Slatars?" meddai Nel yn dawel.

"Oeddwn. Yn gweithio yn yr un fargen â dy dad." Tawelwch eto.

"Fedrwn i ddim aros yn Bwlch Slatars wedyn. Ddois i i Rhiw-bach. Fan'ma y chwythodd y twll. Mynd draw i Gwt y Bugail wedyn. Ond mi gaeodd honno. Fan'ma rydw i a fan'ma y bydda i bellach."

"Does yna neb yn chwythu'r graig i gael cerrig i chi eu naddu'n llechi rŵan," meddai Gwynfor.

"Na, ond mae digon o flociau da ar hyd y lle. Tasa hi'n mynd yn fain arna i, mi fedrwn naddu rhai digon da sy wedi'u gollwng ar y domen yma. Fel deudais i, dydw i ddim angen trin llawer o lechi i glirio 'nghostau."

"Beth arall fyddwch chi'n ei neud yma?"

"Darllen," meddai Mei. "Mae yma lyfrgell dda yn yr hen dŷ, yn does? A chrwydro. Mi fydda i'n mynd am dro dan ddaear weithiau."

"Dan ddaear!" meddai Nel, a'i llygaid yn pefrio. "Ydi

hynny ddim yn beryg a chithau ar eich pen eich hun?"

"Mae chwarel dan ddaear yn fyd arall," esboniodd Mei. "Lle gwaith, lle llawn damweiniau, lle tywyll ond lle y dowch chi i weld llawer o betha'n gliriach nag y gwelwch chi nhw yng ngolau dydd."

"Meirion," meddai Sardar yn sydyn, gan godi ar ei draed. "Ewch chi â ni efo chi dan ddaear i'r chwarel rywbryd? Dyna'r lle i mi. Mi rydw i wedi arfer efo perygl yn y tywyllwch. Does dim ffoi rhagddyn nhw. Rhaid iti fynd yno i fyw yn eu canol bob hyn a hyn. Dyna'r unig ffordd i'w trechu nhw."

Edrychodd Mei arno. Gwelodd fod y llanc yn daer ac yn hollol o ddifri.

Pennod 2

Gwener, 8 Awst 1941

"Hei, Brei! Sut aeth hi ym Mwlch Slatars heddiw?"

Gan fod Brian Drws Nesa yn gweithio mor agos ers rhyw wyth mis, byddai'n dod adref bob nos. Roedd gan Nel ddiddordeb mawr mewn clywed y newyddion diweddaraf o'r chwarel wedi iddo ddod i lawr oddi ar y bỳs yn Stryd Manod. Roedd hi'n amlwg bod rhyw gynlluniau mawr ar droed yno.

"Y bricis Cocni wedi mynd yn ôl i Lundain, diolch byth."

"Y rhai cegog yna?"

"Gwbod y cwbwl. Cofia di, welais i neb yn codi waliau brics 'run fath â nhw. Maen nhw wedi codi pedair neuadd fawr a thri adeilad llai mewn 'chydig o fisoedd."

"Be sy ar ôl i'w neud rŵan?"

"Mae hogia Stiniog yn gorffen rhoi toeau sinc arnyn nhw. Dwi'n dal i weithio ar yr agoriad – neud y twnnel yn fwy ac yn uwch a neud porth a giatiau solat i'r lle. Mae yna sgaffaldiau drwy'r lle rŵan – mae Vaughan, rheolwr y chwarel, a rhai o'r creigwyr mwyaf profiadol ym Mwlch Slatars yn archwilio pob modfedd o'r nenfwd, yn tynnu unrhyw gerrig rhydd a gosod ambell beg haearn."

"A dach chi'n dal yn y tywyllwch be maen nhw am ei neud efo'r lle?"

"Neb yn deud dim. Ond mae yna bobol bwysicach yn cyrraedd bob dydd rŵan."

"Ydyn nhw'n aros yno?"

"O, na – gwesty Portmeirion iddyn nhw bob tro. Eto, fyddet ti ddim yn synnu na fyddai'n bosib i bobol fyw yn yr adeiladau yma. Mae'r petha rhyfel wedi cymryd dwy lefel uchaf y chwarel yn gyfangwbl ac mae 'na drydan a pheiriannau rheoli'r awyr yno."

"A ffordd haearn bach, meddat ti?"

"Mae honno wedi cael ei mystyn i bob neuadd a rownd ambell un i fynd i ben draw'r lefel."

"Pwy oedd y bobol bwysig heddiw 'ta?"

"Welis i 'rioed ffasiwn gar! Gan 'mod i'n gweithio yn y fynedfa, dwi'n gweld a chlywed petha ... mi ddaeth yna sleifar o gar mawr du i fyny ffordd Cwm Teigl."

"Argol. Wnaeth o ddim malu yn yr holl dyllau sy 'na ar honno?"

"Maen nhw wedi gwario ar honno hefyd. Lledu, wyneb newydd, neud llefydd pasio. Ia, roedd y car du yma fel llong. Mi ddaeth y sioffyr allan yn gyntaf. Mynd rownd i agor drws y cefn ac mi ddaeth hen ddyn gwallt arian, cefnsyth allan. Ffon ddu a charn aur ganddo fo. Mi roddodd het silc uchel am ei ben ac mi redodd Vaughan ato fo. Bron iawn nad oedd o'n bowio o'i flaen."

"Y Prif Weinidog oedd o, ella?"

"Na, doedd o ddim gymaint o arth â Churchill. Glywais i Vaughan yn deud 'Clarendon', dwi'n siŵr. Rhwbath i'w neud efo'r teulu brenhinol – dyna roedd yr hogia a finnau'n ei feddwl ar ôl hynny."

"A be oedd o isio?"

"Wel, mi aethon nhw i un o siambrau pellaf y lefel –

siambr Rhif 2. Mi gaeon nhw'r drws, meddai un o'r hogiau oedd ar y sgaffaldiau. Mi fuon yno am hydoedd."

"Gest ti rwbath arall ganddyn nhw?"

"Na, ond mi driais i fy lwc efo'r sioffyr. Roedd hwnnw wedi parcio'r Bentley wrth ymyl y cwt storio sment ac mi ges i air wrth basio efo'r ferfa. Mi ofynnais i be oedd y bathodyn llewod yna ar ben blaen y car. 'Royal Family' medda fo. 'This is the Lord Chamberlain's car.'"

"Wir? Pwy oedd o felly?"

"Un o swyddogion y palas."

"Ydyn nhw'n mynd i ddod â'r brenin i fyw i'r chwarel i'w gadw fo'n saff tan ddiwedd y rhyfel?"

"Go brin. Does yna ddim carpedi yn y neuaddau yma, er eu bod nhw wedi'u codi nhw i safon uchel. Llawer gwell na'r tai 'dan ni'n byw ynddyn nhw'n Stiniog, a deud y gwir."

"Mae yna ryw gyfrinach fawr felly, Brei. Ac mi rwyt tithau yn ei chanol hi!"

"Mi ddweda i un peth wrthat ti, Nel – mae'r cwbwl yn pwyso'n ofnadwy ar Vaughan. Mae o wedi mynd i edrych yn boenus. Ac wedi colli pwysau. Mae o fel tae o'n bwyta gwellt ei wely."

"Ti'n mynd â dy gariad i'r sinema nos fory, Brei?" Roedd Nel wrth ei bodd yn tynnu coes ei chymydog swil.

"Ddim ffiars o beryg, Nel. Gweithio drwy'r penwythnos yma."

"Dydd Sul hefyd?"

"Am y tro cynta yn fy mywyd! Mam a Dad yn wallgo! Ond mae'n rhaid gorffen popeth erbyn nos Lun, mae'n debyg. Mae 'na rwbath mawr i ddigwydd yr wythnos nesa. Mae'n siŵr y bydda i'n cael fy symud i waith arall wedyn. Camp Traws hwyrach ..."

* * *

"Braf bod Clwb yr Urdd wedi ailagor yn y gwyliau i ni fel hyn," meddai Beti.

Roedd genod Manod ar eu ffordd i'r Aelwyd dan bedair ar ddeg oed a fyddai'n cael defnyddio Clwb yr Urdd tan saith o'r gloch ar nosweithiau Gwener.

"Awn ni fyny am Tan Rallt i alw am Sardar," meddai Nel. "Mi ddwedais i y basen ni'n neud."

"O! A fiw inni fynd heb Sardar, Nel, yn nac ydi," meddai Nita a'i thafod yn ei boch.

Anwybyddodd Nel yr awgrym wrth iddyn nhw ddringo pwt o allt at Hafanedd. Roedd Miss Marian yn yr ardd yn chwynnu a thwtio.

"O, dyma nhw eto. Genod Manod yn mynd i wario'u pres i gyd yn yr hen glwb drud yna. Wn i ddim, na wn i wir."

"Ddim ond swllt y flwyddyn mae'n ei gostio i ni, Miss Marian!" atebodd Nel. "Rhatach o lawer na'r Forum!"

"Ia, ond mae'r hen ganolfan yna wedi costio mil o bunnoedd a mwy, yn do?"

"Gafodd yr Urdd grant i edrych ar ôl pobol ifanc, wchi," meddai Nita. "Mae o'n beth da bod ganddon ni rwbath i'w neud yn y dre yma."

"Isio rhwbath i'w neud ydach chi? Mae yna fforch a berfa ichi yn fan'ma! Wn i ddim wir, mae yna ddigon o bres i rai petha, yn does? Deud wrth bawb am gynilo ac wedyn lluchio pres at ..."

Daeth Sardar i'r golwg a daeth y sgwrs i ben.

Roedd y cwrt badminton yn wag pan gyrhaeddodd y criw a dyma nhw'n neidio amdano gan fod hon yn gêm newydd iddyn nhw ac yn rhoi mwynhad mawr. Daeth Idwal, Sali, Delyth a Gwynfor atynt, ac yn fuan roedden nhw wedi trefnu cynghrair o ddyblau i chwarae'i gilydd. Yn ôl ei arfer, tynnodd Sardar y tyrban a gwisgo'r patka er mwyn bwrw iddi ar y cwrt. Ohonyn nhw i gyd, ganddo ef yr oedd y sgiliau ac roedd Nel yn falch ei fod yn bartner iddo. Roedd y racet fel pe bai'n rhan o'i fraich wrth iddo waldio'r wennol, ac roedd yn chwim ac ystwyth wrth gyrraedd pob rhan o'r cwrt, gan ddychwelyd pob ergyd a ddôi o'r ochr arall i'r rhwyd.

"Oeddat ti'n chwarae badminton yn Lerpwl, Sardar?" gofynnodd Nel iddo wedi iddo ennill pwynt arall.

"Na, ond mae ganddon ni gêm o redeg o gwmpas cwrt bach fel hyn. Gêm y Siciaid ydi hi – mae hi'n gyflym a chyfrwys ac yn gymorth mawr i chwarae badminton."

"O! swnio'n dda. Be ydi henw hi?"

"*Kabaddi*. Mae pawb yn y Punjab yn ei chwarae hi."

"Sut ti'n ei chwarae hi?"

"Ddweda i ar ôl y gêm yma."

Enillodd Sardar a Nel y gêm yn erbyn Idwal a Sali yn weddol gyfforddus. Pan oedd pawb wedi cael ei dro ar y cwrt, dyma Nel yn cyhoeddi,

"Hei, mae gan Sardar gêm newydd inni! Deud wrthan ni sut mae'i chwarae hi."

"Wel, 'dan ni ddim isio'r rhwyd yma yn un peth."

Mewn fawr o dro, roedd y rhwyd wedi'i symud i ochr y neuadd.

"Ydi popeth yn iawn y pen yma?" Daeth Richard Jones, un o athrawon yr Ysgol Ganol oedd yn helpu i gadw llygad ar bethau yn y ganolfan draw atynt wrth weld yr offer yn cael ei symud.

"Ydi, Mr Jones," atebodd Nel. "Mynd i chwarae *Kabaddi* rydan ni."

"Be ar y ddaear ydi honno?"

"Yn y Punjab, rydan ni'n ei chwarae allan ar y tywod, Mr Jones, ond mi allwn ei chwarae ar y cwrt yma," esboniodd Sardar. "Fel arfer mae saith o chwaraewyr bob ochr, ond mi allwn ni ei chwarae efo pump bob ochr. Mi af i at genod Manod yr ochr yma, a Mr Jones, ewch chi at y Blaenau yr ochr draw."

Wynebai'r ddau dîm ei gilydd ar y cwrt, yn gwenu'n reit wirion heb wybod beth i'w ddisgwyl.

"Gaiff tîm Manod ddechrau," meddai Sardar. "Rhaid i chi'r ochr draw ddal dwylo bob yn bâr, ond does gan Mr Jones ddim partner felly mae o ar ei ben ei hun. Mae Manod yn anfon un dros y llinell ganol i ymosod. Felly mi wna i hynny am y tro. Does dim angen pêl na rhwyd na dillad arbennig. Gêm plant tlawd ydi hi – ond mae'n hwyl!"

"Be nesa, Sardar?" gofynnodd Richard Jones.

Yn gyflym, gwnaeth Sardar luniau yn ei lyfr bach o faes y chwarae a lleoliad a symudiad y chwaraewyr.

"Rydw i'n ceisio cael un o chwaraewyr y Blaenau allan o'r gêm. Dwi'n rhedeg dros y llinell ac yn ceisio cyffwrdd un o dîm y Blaenau. Rydych chi'n ceisio fy osgoi, ond yn gorfod dal dwylo. Os rydw i'n llwyddo i gyffwrdd un ohonoch chi a rhedeg yn ôl a chyrraedd y llinell ganol, mae'r chwaraewr yna allan o'r gêm ac mae Manod yn sgorio pwynt. Iawn! Barod?"

"Barod!" gwaeddodd tîm y Blaenau.

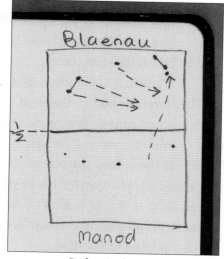

Dechrau'r gêm

Dawnsiodd Sardar o'r canol i'r chwith i ddechrau, a symudodd y Blaenau i'r cefn ac i'r dde. Yn sydyn, tasgodd Sardar i'r dde a chyffwrdd braich Idwal. Dyma Richard Jones yn ymateb i'r symudiad ac yn cylchu o amgylch cefn Sardar. Trodd hwnnw ar ei sawdl a gwibio am y llinell hanner. Roedd Richard Jones yn gyflymach ac yn dalach a llwyddodd i'w daclo a'i dynnu i'r llawr. Ar y foment olaf, ymestynnodd Sardar ei fraich a llwyddo i gyffwrdd y llinell ganol â'i law dde.

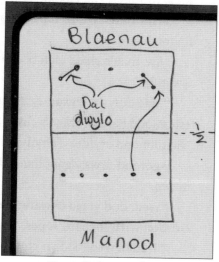

Y symudiadau cyntaf

"Pwynt i Manod!" gwaeddodd. "Does dim rhaid i'r ymosodwr groesi'r llinell, dim ond ei chyffwrdd gyda llaw neu droed neu unrhyw ran o'i gorff."

"Da!" meddai Nita. "Ga i fynd nesa?"

Ond aeth hi'n rhy ddwfn i hanner yr amddiffynwyr a chafodd ei dal yn eu canol.

"Ti allan o'r gêm rŵan, Nita," meddai Sardar. "Rydan ni'n dal i fynd nes bod un tîm wedi colli'i chwaraewyr i gyd, ac wedyn mi fyddwn ni'n newid drosodd."

Wedi deg munud o redeg, ochrgamu, ffugio, ymosod ac amddiffyn, roedd pawb wedi colli'i wynt. Roedd y ddau dîm wedi cael cyfle i amddiffyn ac ymosod ac roedd Manod wedi ennill 12-9. Roedd modd i'r timau ennill pwyntiau bonws wrth orfodi gwrthwynebwyr dros y llinellau terfyn, neu dipio dau ar yr un ymosodiad.

"Mae hon yn gêm galed – ond mae hi'n sbort!" meddai Richard Jones, gan eistedd ar ganol y cwrt gyda'r gweddill.

"Yn y Punjab, mae'n para am ugain munud bob hanner," nododd Sardar.

"Ew, mae'n rhaid eich bod chi'n heini iawn!" meddai Gwynfor.

"Mae dipyn o chwarae cath a llygoden yn perthyn iddi," esboniodd Sardar. "Mae'r chwaraewyr gorau yn gyfrwys iawn. Nid dim ond cryfder a chyflymder sydd ei angen."

Agorodd drws y ganolfan a daeth Gordon John a Jac i mewn.

"Wedi dod yma i chwarae badminton 'dan ni," meddai Gordon wrth Richard Jones. "Pam nad ydi'r rhwyd yn ei lle?"

"'Dan ni wedi bod yn chwarae gêm newydd," esboniodd yr arweinydd. "Sardar sydd wedi ..."

"Pen Cadach? Be mae hwn'na yn da yma? Clwb i'r Cymry ydi hwn, yndê?"

Ia. Clwb i'r Cymry," meddai Jac.

"Llai o'r iaith yna, a na, dach chi'n anghywir," meddai Richard Jones yn llym. "Mae croeso i unrhyw un sy'n defnyddio'r Gymraeg ddod i Aelwyd yr Urdd. Honno ydi'r rheol, yr unig reol bwysig. Mae Sardar yn cadw at y rheol honno bob amser, mae wedi talu ei dâl aelodaeth ac mae wedi cael ei fathodyn."

"Wedi cael ei fathodyn, do?" meddai Gordon yn slei, gan edrych i lawr ei drwyn ar Sardar. "Gest ti dy fathodyn, 'ngwas i?"

Safodd Sardar yn sydyn a'i lygaid yn fflamio.

"Dwi isio fo'n ôl. Dwi wedi deud o'r blaen."

"Ara deg!" Camodd Richard Jones rhyngddyn nhw cyn i bethau fynd yn rhy boeth.

"'Dan ni'n gadael," wfftiodd Gordon. "Os mai dyma ydi clwb Cymraeg, mae'n well gynnon ni'r sinema."

"Ia, y sinema," meddai Jac.

"Os ti isio fo, tyrd i'w nôl o," heriodd Gordon cyn gadael, gan edrych yn galed i fyw llygaid Sardar.

Pennod 3

Sadwrn, 9 Awst 1941

"Meddyliwch am bennog neu facrall wedi'i ffrio," meddai Meirion Ddu.

Roedd Nel, Gwynfor a Sardar wedi cyrraedd yr hen felin ar wyneb tomen Rhiw-bach yn ôl y trefniant. Roedd ganddyn nhw sgidiau cryfion am eu traed a sgrepan gyda photel o ddŵr a thun brechdanau ar eu cefnau. Roedd gan bob un ohonyn nhw dair cannwyll yr un hefyd.

Cerddon nhw i fyny'r mynydd ben bore ac roedd Meirion Ddu yn disgwyl amdanyn nhw er mwyn esbonio beth oedd cynllun y chwarel dan ddaear.

"Meddyliwch am bysgodyn wedi'i agor," meddai wedyn. "Asgwrn cefn y pysgodyn ydi'r inclên fawr sy'n rhedeg ar osgo drwy ganol y mynydd. Mae cynffon y pysgodyn yn dod allan drwy dwll – drwy'r fynedfa – yn nhop y mynydd. Mae yna lein bach yn tynnu'r wageni – gyda'r blociau'n dal arnyn nhw – i fyny drwy'r fynedfa ac at y felin fawr a'r waliau hollti a naddu. Peiriant stêm anferth oedd yn gwneud hynny yn yr hen amser, a dyna pam fod yna gorn simnai uchel ym mhen ucha'r felin. Yna, mi gawson ni drydan i weithio'r lein rhyw ddeng mlynedd yn ôl.

"Mae'r rwbel yn symud y ffordd arall – i lawr yr inclên-asgwrn cefn ac yna allan drwy geg y pysgodyn ar lefel saith i olau dydd. Yno mae'r lein bach yn rhedeg ar hyd wyneb y domen rwbel at y llwyfan taflu yn y pen draw. Yn y fan honno, mae'r wageni'n tipio ac yn gollwng eu llwyth o rwbel ar hyd llethr y domen.

"Oddi ar yr inclên-asgwrn-cefn, mae esgyrn mawr y pysgodyn yn ymestyn bob ochr. Y rhain ydi gwahanol lefelau'r chwarel. Bob hyn a hyn ar y lefelau, bydd siambr yn cael ei hagor a'i gweithio. Dyma lle mae graen y graig fwya manteisiol a mwya diogel ar gyfer ei chwythu a thynnu darnau mawr o greigiau ohoni.

"Mae dŵr yn hel yn y chwarel, wrth gwrs. Mae dŵr wyneb pen y mynydd a dŵr glaw yn mynd i lawr drwy'r fynedfa ar gopa'r mynydd, yn gweithio'i ffordd drwy'r graig ar hyd rhai o'r lefelau. Mi fydd y chwarelwyr yn ceisio'i ffrydio fel bod y cyfan yn llifo i lawr, o dan y cledrau, ar hyd yr inclên-asgwrn-cefn ac allan yn nant fechan drwy'r fynedfa ar ben y domen rwbel.

"Yr inclên-asgwrn-cefn ydi'r ffordd rwydda i'r chwarelwyr gyrraedd eu gwahanol lefelau. Ond pan fydd siambr y creigwyr wedi mynd yn fawr iawn, mi fydd clogwyn fel arfer yn ei phen draw. Mi fydd creigwyr yn chwythu ffenest uwch y clogwyn a neud twll cul i ddringo o un lefel i'r un uwch ben. Weithiau, roedd rhai o'r ffenestri a'r tyllau dianc yma yn gyfrinachol a dim ond y creigwyr oedd yn gwbod amdanyn nhw. Maen nhw'n gadael rhaff neu gadwyn ar hyd y twll dianc, drwy'r ffenest ac i lawr dros ymyl y clogwyn."

Wrth esbonio hyn i gyd, roedd Meirion yn crafu braslun o berfedd y chwarel ar wyneb darn mawr o lechfaen.

"Be oedd yn digwydd pan oedd siambr yn mynd yn rhy fawr?" holodd Gwynfor.

"Roedd 'na beryg torri un lefel yn rhy uchel gan fynd i naddu lefel uwch ei phen," meddai Meirion. "Weithiau dim ond 'chydig droedfeddi oedd rhyngddyn nhw. Pan nad oedd y chwarel yn gweithio, mi allai dŵr hel mewn un lefel ac mi allai pwysau'r dŵr olygu cwymp – un lefel yn disgyn ar ben y llall gan greu twll anferth a dwfn yn uchel ym mherfedd y mynydd."

"A'r powdwr du oedd yn cael ei ddefnyddio i chwythu'r creigiau ym mhob man?" gofynnodd Sardar.

"Y creigwyr yn y siambrau oedd yn defnyddio'r powdwr du," esboniodd Meirion. "Mae yna griw arall yn gweithio yn y chwarel – hogia'r twneli ydi'r rheiny. Nhw sy'n chwythu'r creigiau caled rhwng gwythiennau'r llechfaen. Maen nhw'n defnyddio'r deinameit, sy'n glec galed, yn chwythu'r graig yn ddarnau mân. Mae clec y powdwr du yn llawer meddalach, yn agor y cerrig llechi yn hytrach na'u briwsioni nhw."

Yna edrychodd ar y pren lle'r arferai ei law chwith fod.

"Ond fel y gwelwch chi, mae'r powdwr du yn beryg hefyd."

"Felly doedd yna ddim golau dydd o gwbwl yn y chwarel, dim ond wrth y fynedfa ar ben y mynydd a'r fynedfa ar ben y domen rwbel?" gofynnodd Nel.

"Ti'n iawn, Nel Manod. Dim ond golau cannwyll oedd yna wedyn. Rhyw 'chydig o flynyddoedd yn ôl mi gyrhaeddodd lampau batri inni eu rhoi am ein hetiau neu'n capiau. Ond ar hyd y creigiau yn yr agorydd, golau cannwyll oedd hi. A'r creigwyr oedd yn gorfod prynu'u canhwyllau eu hunain."

"Doedd y chwarel ddim yn prynu canhwyllau i'r gweithwyr?" gofynnodd Sardar.

"Chwe cheiniog y pwys – dyna faint roeddan ni'n ei dalu am ganhwyllau," meddai Meirion, ei lygaid tywyll yn tanio. "Y chwarelwyr hefyd oedd yn prynu eu holl arfau – pob cŷn, ebill, morthwyl, gordd, rhaw, caib a choes caib. Y chwarelwyr oedd yn talu am hogi'r arfau a'u trwsio. Ac roeddan ni'n gorfod prynu ein deinameit a'n powdwr du ein hunain. Deg swllt am gasgen 25 pwys oedd y powdwr du."

"Felly ti oedd wedi talu am y powdwr du a chwythodd dy law di i ffwrdd, Mei?" meddai Sardar.

"Ti wedi'i ddeud o'n daclus iawn, Sardar."

"Mi wnest ti dalu am hwnnw ddwy waith, yn do?"

Oedodd Meirion, ac edrych i wyneb y llanc. Roedd y ddau ohonyn nhw yn gweld lygad yn llygad, meddyliodd.

"Anghofiais i sôn am y simnai wynt," meddai Meirion wedyn. "Roedd hi'n bwysig bod yna wynt glân yn chwythu drwy'r lefelau – er mwyn clirio'r mwg a'r llwch ar ôl pob taniad, ond hefyd er mwyn bwydo fflamau'r canhwyllau. Felly, ar y lefel uchaf un, mae yna ambell simnai serth fel bod y gwynt yn medru cael ei dynnu i mewn i'r chwarel."

Edrychodd Gwynfor i lawr o'r felin at fynydd y chwarel.

"Mae'n anhygoel meddwl bod yr holl waith o fewn yr hen fynydd yna," meddai. "Mae'n amhosib gweld dim y tu allan ond y tomenni rwbel."

"Pa ffordd rydan ni'n mynd i mewn, Mei?" gofynnodd Sardar. "Drwy'r fynedfa yn y top?"

"Na, maen nhw wedi cau honno gyda giatiau mawr haearn pan gaeon nhw'r chwarel. Mi awn ni lawr y llethr at ben y domen rwbel, i mewn ar hyd ffordd haearn bach y wageni, drwy'r agoriad i'r siambr fawr wrth droed inclên fawr, ac wedyn dringo o lefel i lefel. Barod?"

"Barod!" cytunodd y tri.

"Nac ydach, y taclau," meddai Meirion. "Lampau. Mae hi fel bol buwch yno, wyddoch chi. Ond drwy lwc mae'r chwarel wedi gadael stoc o lampau a batris i mi roi eu benthyg nhw i chi."

Aeth i'w sgrepan a dosbarthu'r lampau, gan ddangos sut oedd eu gosod ar y pen a sut oedd cynnau'r golau.

Taflodd Meirion Ddu sgrepan fawr ar ei gefn ac arwain y ffrindiau o amgylch y mynydd ac i lawr at wyneb y domen rwbel.

* * *

Cododd Nel ei llaw i droi'r lamp ar ei thalcen fel bod y golau'n taflu'n well ar y llawr o'i blaen.

Gallai weld dwy linell goch y ffordd haearn rydlyd, gyda'r cledrau rhyw ddau gam rhwng ei gilydd. Rhwng y cledrau, roedd y llwybr yn arw, gydag ambell garreg fawr yma ac acw. Roedd yn rhaid iddi gadw llygad barcud neu byddai'n baglu.

"Wagan!" gwaeddodd Mei o'i blaen.

Gwelodd fod golau Mei wedi troi wrth iddo gerdded heibio wagen – pedair olwyn haearn a ffrâm o bren ar eu pennau – oedd wedi cael ei gadael yn y twnnel.

"Ar y rhain roedd y gwastraff crawiau brasaf yn mynd i ben y domen," esboniodd Mei wrth i'r tri gerdded o'i hamgylch.

Ymlaen eto nes cyrraedd neuadd fawr ym mol y mynydd.

"'Dan ni wrth yr inclên fawr rŵan," meddai Mei. "Dyma

hi'n codi o'n blaenau. Mi aiff i fyny reit i'r copa. 'Dan ni ar Lefel 7 fan yma. Mae un twnnel wedi'i dorri i'r chwith, ac un arall i'r dde."

Cerddodd yn nes at yr inclên.

"Mae'r lefel yma yn wlyb," meddai. "Mae'r dŵr yn disgyn drwy'r chwarel ac yn hel yma. Mi ddringwn yr inclên i'r lefel nesa."

Aeth yn ei flaen. Ffrydiai dŵr i lawr yr inclên, ac roedd honno'n codi'n weddol serth. Gallai Nel weld bod y llechfaen yn wlyb o boptu'r brif nant hefyd.

"Mae'n fwy diogel ichi gerdded drwy'r dŵr dyfna," meddai Mei, gan sblasio yn ei flaen i fyny'r inclên. Trodd yn ôl atyn nhw eto.

"Yn wahanol i nant neu afon allan yng ngolau dydd, does yna ddim yn tyfu yn y nant yma ym mherfedd y mynydd, felly does yna ddim byd llithrig yn y dŵr."

Dilynodd Nel ei gyfarwyddyd ac yn wir, roedd yn dweud y gwir hefyd. Roedd hi'n hollol gadarn ar ei thraed er bod y dŵr yn llifo'n reit wyllt heibio iddi.

"Dewch rownd y gornel yma efo fi," meddai Mei, ar ôl iddyn nhw gyrraedd y lefel nesaf.

Safodd wrth waliau isel o gerrig garw a tho o sinc wedi'i daro'n arw yn ei le. Goleuodd Mei adwy dywyll gyda'i lamp.

"Dewch i mewn! Dewch i mewn!"

Cerddodd y tri i mewn. Gwelsant ddau fwrdd hir a chul ac ychydig o feinciau garw. Mewn un gornel, safai caib, rhaw ac ebill mawr oedd cyhyd â thaldra Nel.

"Dyma'r caban, ylwch. Yma roedd gweithiwrs y lefel yn dod i gael cinio, dipyn o hoe a thynnu coes. Ylwch chi hwn yn

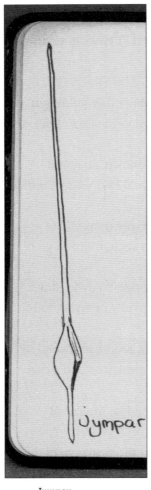

Jympar

y gornel – jympar ydi hwn."

Cydiodd yn yr ebill mawr, oedd yn debyg i drosol hir gyda blaen pigog arno. Rhyw droedfedd yn uwch na'r blaen hwnnw, roedd lwmp yn y trosol – rhyw fath o wy mawr o haearn, yn rhan o'r goes, i roi pwys y tu ôl i flaen y pigyn.

"Arhoswch funud i mi gael gwneud lluniau o'r arf yma yn fy llyfr bach," meddai Sardar.

"Dwi'n rhyfeddu fod gen ti dudalennau ar ôl yn y llyfryn yna!" chwarddodd Nel.

"Efo'r jympar yma y byddai creigiwr yn neud twll i'r powdwr du," esboniodd Mei. "Mi fyddai'n dringo wyneb y clogwyn – tebyg i hwn'na yn fan'cw, gan gario'r jympar efo fo. Pan fyddai wedi cyrraedd lle addas yn uchel i fyny yn y siambr, mi fyddai'n troi'r gadwyn am ran ucha'i goes a dechra dyrnu'r ebill i'r graig fel hyn."

Ergydiodd Mei y jympar i ddarn o garreg llechen a gadwai yn ei lle â'i esgid. Ar ôl pob ergyd, roedd yn troi'r jympar chwarter tro i'r dde. Ymhen sbel, gallent weld bod gwefus twll crwn yn ymddangos yn y garreg.

"Fel yna, nes byddai ganddo ddwy neu dair troedfedd o

dwll. Mi fyddai'n barod am y powdwr du wedyn."

Dilynodd y tri Mei ar hyd twnnel i'r dde nes eu bod yn dod at siambr fawr sych.

"Fedrwch chi ddarllen y sgwennu ar y graig yn fan hyn?" gofynnodd Mei gan daflu'i olau ar ôl naddu ar wyneb craig wrth geg y siambr.

"ADJ 1913," meddai Gwynfor.

"Ie. Dyna arweinydd y criw oedd yn gweithio yma. Mi ddaru nhw ddechra'r siambr yma yn 1913 ac roedd ei fab yn dal i weithio yma pan ddois i yma wyth mlynedd yn ôl."

Gyda'u lampau'n goleuo'r creigiau, gwelodd y criw fod y to'n codi o geg y siambr i uchder enfawr yn ei phen pellaf.

"Draw yn y pen pella mi welwch y dyfn," meddai Mei.

"Argol, mae o fel clogwyn," sylwodd Nel.

"Dewch yma ac mi welwch fod yna gadwyn yn dod i lawr wyneb y clogwyn. Reit, ddefnyddiwn ni hon i ddringo at y ffenest."

Roedd hyn yn golygu tynnu'r corff i fyny gyda'r breichiau a cheisio canfod grisiau yn y graig gyda'r traed.

"Drwy'r ffenest i'r twll dianc," meddai Mei wedyn.

Roedden nhw'n gorfod hanner cropian ar hyd hwnnw gan fod y to mor isel a'r ochrau'n gwasgu.

"A dyma ni yn y lefel nesa. I'r dde fan hyn ac i siambr arall."

Wedi cyrraedd yno, cawson nhw agor eu sgrepanau i gael llymaid a brechdan.

"Mae'n dal yn reit dywyll yma, hyd yn oed efo'n lampau, yn tydi," sylwodd Gwynfor.

"Estynnwch eich canhwyllau," meddai Mei, gan dynnu

bocs o fatsys o'i boced. "Rŵan diffoddwch eich lampau talcen ichi weld be ydi tywyllwch go iawn."

Pan ddiffoddodd y pedwar eu lampau, doedd Nel ddim yn medru gweld ei llaw o flaen ei hwyneb.

"A chyn y lampau talcen, dim ond hyn oedd ganddyn nhw," meddai Mei gan danio matsien. Cynheuodd gannwyll Nel, ac yna canhwyllau'r ddau arall.

"Mae'n llawer tywyllach, yn tydi?" meddai Sardar.

"Dydi'r chwarelwyr ddim yn gweld golau dydd yn y gaeaf, dim ond y golau gwan yma," meddai Mei. "Ddim rhyfedd bod llygaid llawer ohonyn nhw'n wael."

"Mae yna lwch i'w weld yn yr awyr o hyd yng ngolau'r gannwyll," meddai Sardar.

"Oes, mae yma ddigon o lwch," cytunodd Mei.

"Ar wyneb clogwyn fel hwn fyddai Dad yn gweithio?" gofynnodd Nel ymhen amser.

"Tebyg iawn, Nel. I fyny mewn lle tebyg i'r wyneb acw. Ro'n innau ar gadwyn arall, fel petawn i ar yr ochr yma, a'r ddau ohonon ni'n tyllu efo'r jympars. Ond mi ddaeth yna ddarn mawr o'r to i lawr ar ochr dy dad ..."

Daliodd Nel i edrych ar y clogwyn am sbel. Yna, edrychodd ar y llawr.

"Oes yna gerrig yn disgyn yn aml?" gofynnodd Gwynfor.

"Rhy aml, yn sicr i ti. Ond mae'r siambrau yma lle dwi'n dod â chi heddiw yn ddiogel. Mae graen y graig yn rhedeg gyda'r to ar hyd y siambr. Mae'n nenfwd gadarn."

O lefel i lefel, drwy ambell ffenest a thwll dianc, ac i fyny'r inclên, gwelodd y pedwar ohonyn nhw rwydwaith y chwarel nes cyrraedd y fynedfa o'r tu ôl i'r giatiau haearn.

"'Dan ni wedi'n cau i mewn!" llefodd Nel. "Mae'n rhaid inni fynd yr holl ffordd yn ôl i'r gwaelod!"

"Ddim cweit," esboniodd Mei. "Dach chi'n cofio am y simnai i'r gwynt? Ar y dde, fan hyn. Ond gofal. Mae'n dringo'n hollol serth, fel simnai mewn tŷ uchel. Mi a' i yn gynta a gollwng y rhaff yma sy gen i yn y sgrepan i chi ddringo ar f'ôl i."

Fesul un, dringodd y pedwar y simnai a dod allan i'r haul ar y graig ar gopa'r mynydd.

.

Pennod 4

Nos Lun, 11 Awst 1941

Dair noson yr wythnos y byddai aelodau dan 14 oed yn cael defnyddio canolfan yr Urdd. Y nos Lun ganlynol, roedd y si am y gêm newydd wedi mynd ar led a phawb yn awyddus i wybod y rheolau a'i chwarae. Roedd Sardar yng nghanol y cyfan yn esbonio, trefnu timau a dyfarnu.

Cyn hir roedd Gordon John a Jac mewn un tîm, yn wynebu tîm y Blaenau oedd yn cynnwys Richard Jones yr arweinydd.

"Tydi peth fel hyn ddim yn deg o gwbl," cwynodd Gordon. "Allwch chi ddim cael dyn mewn oed mewn tîm yn ein herbyn ni! Mawr yn erbyn bach ydi hynny. Pam na wnaiff Richard Jones ddyfarnu a Sardar ymuno â thim y Blaenau?"

A dyna fu.

Yn fuan iawn, gwelwyd bod y gêm tip a dal wedi troi'n ornest o geisio cornelu Sardar. Pan oedd Sardar yn ymosod, aeth Gordon John a Jac amdano gan anwybyddu eu bod wedi'u tipio. Baglodd Gordon y bachgen gyda'i droed a neidiodd Jac ar ei ben wedi iddo ddisgyn i'r llawr. Cododd Gordon a thaflu'i gorff ar ei ben gyda'i holl rym. Roedd Sardar yn cael trafferth i anadlu, hyd yn oed. Roedd ambell ben-glin yn cael ei gyrru i'w asennau.

"Dyna ddigon! Dyna ddigon!" gwaeddodd Richard Jones,

gan lusgo'r taclwyr oddi arno. "Be sy'n bod arnoch chi? Dim ond gêm ydi hi. Dach chi fel anwariaid. Baglu! Mae hynny'n anghyfreithlon, debyg iawn. A dau yn erbyn un – bwlio ydi hynny a dim arall!"

Cymerwyd peth amser i wahanu'r tri. Safai pawb yn y neuadd yn stond.

Cododd Sardar yn y diwedd a phan gafodd ei wynt ato, cerddodd at Gordon John ac edrych arno'n heriol.

"Rwyt ti wedi cymryd fy mathodyn oddi arna i. Mi hoffwn i ei gael yn ôl," meddai.

"Bathodyn? Pa fathodyn ... ? O, hwnnw – amser maith yn ôl. Dwi wedi'i roi o'n ôl iti. Ti sy ddim yn cofio, mae'n rhaid."

"Na, dwyt ti ddim wedi'i roi yn ôl imi."

"Be faswn i isio efo rhyw fathodyn fel 'na? Bathodyn bradwr oedd o beth bynnag."

"Nid bradwr oedd brawd fy nhaid."

"Mae llawer o fradwyr yn India. Mae Dad yn deud nad ydyn nhw'n neud dim byd ond codi helynt yn lle'n helpu ni i ennill y rhyfel yma."

"Dwi eisiau'r bathodyn yn ôl."

"Dwi wedi'i daflu o ben tomen fawr yr Oclis, os oes rhaid iti gael gwbod," gwaeddodd Gordon John. "Dyna'r unig ffordd i drin bradwyr!"

"Ia, tomen fawr yr Oclis," meddai Jac.

A cherddodd y ddau allan o'r ganolfan.

* * *

"Ddoi di am dro i'r mynydd efo Siw a finnau?" gofynnodd Nel

i Sardar ar y ffordd adref o'r Aelwyd.

Cytunodd yn dawel. Ond digon di-sgwrs oedd y llanc, er bod Nel yn ceisio'i gorau i symud ei feddwl drwy ddangos campau'r ast fach iddo.

Pan ddaethant yn ôl at y giât mochyn, gwelsant fod Gwilym Lewis yn pwyso ar y giât goch yn mwynhau heulwen yr hwyr.

"Tatws yn edrych yn dda eleni," meddai Nel wrtho.

"Dwn i ddim wir, mae hi wedi bod yn rhy wlyb. Gormod o ddail. Tatws fel marblis, mae'n siŵr."

"O wel, mae'n siŵr y bydd eu blas nhw'n iawn," atebodd Nel gan droi i weld bod Brei yn sgubo'r buarth yng nghefn y teras. "Gefaist ti wbod lle wyt ti'n gweithio nesa, Brei?"

Rhoddodd Brei y brwsh yn erbyn wal y tŷ a daeth i fyny drwy'r giât mochyn i eistedd ar docyn o rug wrth ymyl y ddau ohonyn nhw.

"Mae yna rwbath annisgwyl wedi digwydd, Nel," meddai Brei. "Mi ddaeth Vaughan ata i ac Owen Pen-rhiw y pnawn yma a deud y byddwn ni ill dau'n cael aros ym Mwlch Slatars am gyfnod amhenodol. Gwaith hanfodol er mwyn y rhyfel, medda fo. Pawb arall o'r criw lleol yn symud i Gamp Traws."

"Be fyddwch chi'n ei wneud felly?" holodd Sardar.

"Neud yn siŵr bod yr adeiladau'n saff. Cadw llygad ar y creigiau yn nenfydau'r siambrau. Neud be bynnag fydd dynion ofyrôls y National Gallery yn ei ddeud wrthon ni."

"National Gallery? Be ydi peth felly?" gofynnodd Nel.

Edrychodd Brei yn sobr ar y ddau.

"Dwi ddim fod i ddeud y petha yma wrth neb. Mae'r cwbwl yn gyfrinachol ..."

"Aiff o ddim pellach, siŵr!" meddai Nel. "Dydi Gwilym Lewis ddim yn clywed yn dda iawn a wnaiff Siw ddim deud wrth neb. Gaddo."

"Dach chi'n gwbod am yr holl fomio yma yn y trefi," dechreuodd Brei arni. "Wel, mae awyrennau Hitler yn medru cyrraedd ymhellach nag roeddan nhw'n ei ddychmygu tua Llundain yna. Ar ddechra'r rhyfel, mi gafodd yr holl luniau gwerthfawr gan rai o arlunwyr mwya'r byd eu symud o'r National Gallery yn Llundain i guddfannau diogel rhag iddyn nhw gael eu difetha yn y Blits. Mae rhai wedi mynd i'r Llyfrgell Genedlaethol yn Aberystwyth, rhai i'r coleg ym Mangor a chastell y Penrhyn, a rhai i dai mawr crand eraill.

"Ond maen nhw wedi gweld erbyn hyn bod Aberystwyth a Bangor ar lwybr yr awyrennau sy'n bomio Lerpwl a Birkenhead. Mi allen nhw ollwng llwyth ar y ffordd yno neu ar y ffordd yn ôl, reit hawdd. Mae hyn wedi digwydd yn barod, ond dim ond ambell gae a thywod mewn aber afon sy wedi'i chael hi. Roedd hi'n amlwg bod angen lle mwy diogel i'r trysorau. Dyna pryd y cafwyd y syniad o baratoi lle pwrpasol mewn chwarel dan ddaear yma yn y Blaenau. A dyna sy'n digwydd ym Mwlch Slatars. Mae rhyw ddau gan troedfedd o graig yn amddiffyn y siambrau a'r stordai sy'n fan'no rhag bomiau o'r awyr."

"O, trysorau yn dod i Stiniog! Dyna gyffrous!" meddai Nel. "Pryd byddan nhw'n dechra cyrraedd?"

"Fory. Mi fydd lorïau'r rheilffordd yn dod â nhw o Aber a Bangor. Mae honno'n joban arall. Maen nhw wedi gorfod tyllu i lawr dan bont reilffordd Hen Gapel yng Nghwm Teigl er mwyn neud bwlch digon mawr i rai o'r lluniau fynd o tani."

"Faint o luniau fydd yn dod yno?" gofynnodd Sardar.

"Cannoedd, mae'n rhaid," atebodd Brei. "Maen nhw am fod wrthi am fis yn cario. Wedyn mae'n rhaid storio'r cwbwl ar wres cyson o 65°F a neud yn siŵr nad ydi'r awyr yn rhy sych nac yn rhy wlyb. Mae rhai o'r lluniau yn gannoedd o flynyddoedd oed ac mi all y paent gracio a difetha os na chân nhw'r gofal cywir."

"Mae'n dda iawn bod pob gwlad yn edrych ar ôl ei thrysorau," meddai Sardar.

"O, mae rhai o'r lluniau yma'n dod o bob rhan o'r byd," meddai Brei. "Hwn ydi prif gasgliad yr Empire."

"Yr Empire," meddai Nel yn syn. "Sut fod gan sinema ar Stryd yr Eglwys yma'n Stiniog gymaint o drysorau?"

"Na, nid yr Empire hwnnw. Y British Empire. Yr Ymerodraeth Brydeinig."

"Be ydi 'Empire', p'run bynnag?"

"Un wlad yn busnesu mewn gwledydd eraill, yn deud wrthyn nhw be i'w neud a dwyn eu trysorau nhw."

"Ac mae'r gwledydd eraill yn gadael iddyn nhw neud hynny?"

"Gan yr Empire mae'r gynnau."

"Ac am ba Empire 'dan ni'n sôn?"

"Llundain."

"Sut daeth y rhain i gyd i Lundain 'ta?" holodd Nel.

"I Lundain mae'r arian a phopeth gwerthfawr i gyd yn mynd," meddai Sardar yn syml. "Mae trysorau wedi'u cario ar ôl rhyfeloedd yn erbyn sawl gwlad ac mae llawer wedi cyrraedd y llefydd mawr yna yn Llundain."

"A chasgliadau preifat," aeth Brei yn ei flaen. "Roedd gan

Vaughan restr o luniau fydd yn cyrraedd o blastai mawr Lloegr – eiddo'r arglwydd yma a'r barwn arall a'r iarll hwn a hwn."

"Trysorau teuluoedd y cotwm yng ngogledd Lloegr," ychwanegodd Sardar. "A'r siwgr yn y Caribî."

"A'r glo a'r haearn," meddai Brei.

"A'r llechi yng Nghymru, mae'n siŵr," meddai Nel.

* * *

Y prynhawn dilynol, roedd Nel ar y Stryd Fawr gyda'i mam pan welodd lorri drom yn pasio. Sylwodd ar y llythrennau LMS ar ochr y cerbyd.

"Lorri'r rheilffordd ydi honna, ia, Mam?"

"Ia Nel. Y London Midland & Scottish Railway Company. Dyna'r cwmni sy piau'r rheilffordd sy'n mynd o Lundain drwy Fangor i Gaergybi."

Edrychodd y ddwy arni'n mynd i lawr y Stryd Fawr, o dan fynydd y Manod Bach i gyfeiriad Llan Ffestiniog a Chwm Teigl.

Un o'r llwythi cyntaf i guddfan Brei, meddyliodd.

Dros yr wythnosau nesaf, gwelodd Nel a Sardar nifer o lorïau tebyg ar Stryd Fawr y Blaenau.

"Beth am fynd i fyny at Meirion Ddu a gweld faint mae o'n ei wbod?" cynigiodd Nel wrtho un diwrnod yn niwedd Awst.

"Ond mae Brei wedi dweud y cyfan wrthym ni," meddai Sardar. "Fedar o ddim peidio â siarad am y peth, er nad ydi o i fod i ddweud gair wrth neb, wrth gwrs. Mae o wedi arwyddo rhyw bapur i addo cadw'n dawel. Ond rydan ni'n cael adroddiad ganddo bob nos, bron â bod. Mae'r siambrau'n llenwi. Mae'r lluniau'n ddiogel. Beth arall sydd i'w ddeall?"

"Os oes yna rwbath, bydd Mei yn gwbod."

"Mae'n well peidio gwybod popeth weithiau," meddai Sardar.

"Dwi ddim yn cytuno efo hynny," atebodd Nel ar ei hunion. "Ti ar dy ennill bob tro rwyt ti'n dysgu rhwbath newydd."

"Mae ennill a cholli'n golygu gwahanol bethau i wahanol bobl," meddai yntau.

"Cyfeirio at y bathodyn yna rwyt ti wedi'i golli wyt ti?"

"Ia a na. Efallai. Dydi Gordon John ddim wedi ennill cymaint o'i ddwyn o ag yr ydw i wedi'i golli o fod hebddo."

"Am fod y bathodyn yn golygu mwy i ti nag y bydd i Gordon John byth bythoedd?"

"Ie."

"Wyt ti'n meddwl ei fod wedi'i daflu dros ymyl Tomen Oclis?"

"Nag ydw."

"Pam ei fod o'n deud hynny, 'ta?"

"Am ryw reswm, mae'n meddwl bod ganddo ryw afael drosof fi am ei fod wedi cael ei fachau ar hwn'na."

"Trysor wedi'i ddwyn," meddai Nel.

"Yli, mi ddof i i fyny i Riw-bach efo ti pnawn yma. Nid ein bod ni'n mynd i ddysgu llawer yno chwaith."

"Wyddost ti byth!"

Roedd Siw wedi tyfu'n ast gyhyrog erbyn hyn. Er mai coesau byr oedd ganddi roedden nhw'n brysur. Roedd cadw at y llwybr, fel y gwnâi Nel a Sardar, yn rhywbeth dieithr iawn iddi hi. Dilyn ei thrwyn yma ac acw, yn ôl ac ymlaen, i'r dde ac i'r chwith oedd ei phethau hi.

"Edrych!" gwaeddodd Nel. "Mae hi wedi mynd at ei bol i mewn i'r gors yna!"

Daeth allan yn ddu fel triog, ond roedd ei chynffon bwt yn dangos ei bod yn mwynhau bob munud.

"Mi wnawn ei hel i nofio i Lyn Bowydd pan gyrhaeddwn y topiau," meddai Sardar.

"Na, awn ni ymhellach na Llyn Bowydd heddiw," meddai Nel. "Mae yna lyn bach da o dan Rhiw-bach – Llyn Penrhiw."

Wedi cyrraedd yno a chael hwyl yn taflu brigyn i mewn i'r llyn i annog Siw i nofio, craffodd Nel ar y lan yr ochr draw.

"Yli! Mae yna rywun yr ochr draw acw. Be mae o'n ei wneud, dywed?"

Cysgododd Sardar ei lygaid rhag yr haul.

"Mei ydi o. Mae o'n tynnu rhywbeth. Llinyn dwi'n meddwl."

"Tyrd, awn ni rownd yr ochr yma ato fo."

Rhoesant waedd arno wrth nesu. Roedd yntau'n eistedd ar garreg yn disgwyl amdanyn nhw, yn amlwg wedi sylwi arnyn nhw ers tro.

"Be oeddach chi'n ei neud efo'r llinyn yna, Mei?" gofynnodd Nel ar ei phen.

"Pa linyn, hogan?"

"Welodd Sardar a finnau ti wrthi gynnau."

Edrychodd Mei ar y ddau gan ddal ei ben yn gam am ennyd. Yna mae'n rhaid ei fod wedi penderfynu rhannu'i gyfrinach gyda nhw.

"Ddim gair wrth neb, cofiwch, ond styllennu roeddwn i."

"Styllennu? Be ydi hynny?" holodd Sardar.

"Ia. Dw innau 'rioed wedi clywed am hynny chwaith," meddai Nel.

"Roedd Gai Jones dy dad yn un da am styllennu, Nel." Heb ddweud gair pellach, agorodd Mei ei gôt a dangos darn o bren oedd ganddo mewn poced ddofn y tu mewn iddi.

"Styllen ydi hon," meddai. "Styllen o bren wedi'i llifio yn ddwy ond wedi'u bachu wrth ei gilydd efo hinj drws bach fel hyn." Agorodd y styllen fel llyfr nes bod y ddau ddarn yn cyfarfod yn y canol ac yna'n cael eu clipio yn sownd wrth ei gilydd.

"Mae plwm ar hyd y gwaelod fan hyn. Felly wrth roi'r styllen yn y dŵr mae'r ochr isaf yn suddo nes ei bod yn sefyll yn y dŵr, dim ond rhyw hanner modfedd ohoni yn y golwg ar yr wyneb. Mi fydda i'n bachu lein bysgota wrth y pen yma a rhyw hanner dwsin o fachau arni. Wedyn llinyn y pen arall. Ei gollwng i'r dŵr fel hyn a'i thywys ar hyd y llyn fel mynd â chi am dro. Mi eith ymhell allan at lle mae'r pysgod gorau i'w cael."

"Pysgota dach chi, felly!" meddai Nel.

"Potsio fyddai rhai yn ei alw, felly dim gair wrth neb, cofiwch."

"Ac roedd Dad yn neud hyn?"

"Un o'r rhai gorau yn Manod."

"Dach chi wedi dal rhywfaint heddiw?"

Amneidiodd Mei arnyn nhw i ddod y tu ôl i'r garreg roedd yn eistedd arni. Symudodd ddail rhedyn ac yn eu cysgod gorweddai pedwar brithyll braf.

"Wel, gewch chi swper da heno!"

"Gormod i un. Croeso i chithau'ch dau gael un bob un. Mi awn ni â nhw yn nes adra a'u coginio uwch tân o goed ar lechen chwarel."

Tynnodd bapur newydd o'i sgrepan, ei lapio am y pysgod a'u dychwelyd i mewn i'r sgrepan. Cododd y styllen, dadfachu a chadw'r lein a'r bachau, cau'r styllen yn 'llyfr' taclus a'i rhoi yn ei boced ddofn.

"Chi piau'r pysgod rŵan, Mei," meddai Sardar. "Ond pwy oedd piau nhw cyn hynny?"

"Wel, mae hen gyfraith y Cymry yn deud mai'r bobol biau'r afonydd a'r llynnoedd, wel'di," atebodd Mei a gwên yn ei lygaid. "Ond mae'r gyfraith sy ganddon ni rŵan yn deud mai arglwyddi'r plasau piau'r llyn yma a'r pysgod. A'r chwarel, wrth gwrs. A'r chwarelwyr, tasa hi'n dod i hynny."

"Wnaiff arglwydd y plas ddim gweld colli pedwar pysgodyn, yn na wnaiff, Mei?" meddai Nel.

"Na, ond mi fyddwn ni ar ein hennill, yn byddwn?" atebodd Mei.

"Ci-aw! Ci-aw!" cytunodd Arthur yn yr awyr uwch ben.

Pennod 5

Wedi i Nel a Sardar esbonio ar ba berwyl roedden nhw ac wedi iddyn nhw egluro'r hyn oedd yn digwydd yn chwarel Bwlch Slatars, dangosai Meirion Ddu ddiddordeb.

"Do, mi welais rai o'r lorïau LMS yna. A rhai GWR hefyd – y Great Western Railway ydi'r rheiny. Nhw sy'n cario o Aberystwyth ac Amwythig. Mae'r ddwy reilffordd yn cyfarfod yn y Blaenau. Dowch, mi adawn ni'r sgrepan a'r styllen dan redyn wrth y fforch a mynd draw i weld be welwn ni."

Aeth y tri tua'r gorllewin, drwy Fwlch Carreg y Frân.

Wrth nesu at felinau a gweithdai chwarel Bwlch Slatars, gwelsant fod yr Hôm Gard wedi codi cwt crwn garw o gerrig tomen wrth y fynedfa.

"Halt! Hŵ goes dde?" Corris Tomos a'i gyfeillion oedd yn gwarchod y safle.

"Pnawn da, Corris Tomos," meddai Mei wrth gyrraedd at y cwt. "Dod draw gyda rhai o blant y Blaenau i weld y gwaith da dach chi'n ei neud yma dwi."

"O, s'mai Mei," meddai Corris, wedi'i blesio'n arw gyda'r cyflwyniad. "Mae popeth mewn trefn ardderchog. Does yna neb na dim yn mynd i mewn nac allan heb fy mod i a Robat ac Eric fan hyn yn gweld eu papurau nhw."

"Cwt bach taclus gennych chi hefyd," oedd sylw nesaf Mei.

"Ti'n ei edmygu o? Mae'n rhaid cael dipyn o grefft wrth

drin y garreg las yma, yn does?"

"O, oes. Cwt cadarn iawn," meddai Mei, gan roi ei law i bwyso ar un garreg. Tynnodd ei law oddi ar y wal yn reit sydyn wrth i'r garreg honno ddechrau llithro i mewn i'r cwt. "Felly ydi popeth yn ddiogel yma?"

"Fel y banc!" meddai Robat, gan sythu'i ysgwyddau.

"Y ni'n tri ydi'r seciwriti," eglurodd Eric.

"Dim ond chi'ch tri!" rhyfeddodd Mei.

"Wel, mae yna ryw ugain o giards y galeri o danon ni," cyfaddefodd Corris. "Dim ond y ni sy'n arfog, wrth gwrs. Mae'r rheiny'n byw ac yn cysgu yn y cwt mawr pren newydd acw wrth geg y chwarel. Maen nhw'n cadw gwyliadwriaeth ddydd a nos y tu allan yma."

"A'r tu mewn yn y nos, mae'n siŵr?" holodd Mei.

"O na. Mae'r drysau mawr acw'n cael eu cloi yn y nos. Tu allan yma fyddai'r peryg, yndê."

"Dach chi mewn lle da i weld peryg yn dod i fyny'r cwm hefyd," meddai Mei. "Ddaw yna ddim o fewn dwy filltir ichi heb ichi fod yn barod amdanyn nhw."

"Digon gwir," meddai Corris eto. "'Dan ni'n cadw'n llygaid ar y car mawr yna sy ar ei ffordd i fyny ers sbel rŵan. Ond rhaid inni fod yn barod am paratrŵpers hefyd, ti'n gweld."

Edrychodd Mei, Nel a Sardar i lawr Cwm Teigl a gweld car du, gloyw yn dringo'r ffordd yn araf.

"Rolls Royce ydi hwn, bron yn siŵr," eglurodd Eric.

"Rhywun pwysig eto," meddai Robat.

"Dach chi'n gweld dipyn o enwau mawr yma, synnwn i ddim," meddai Mei wedyn.

"Ar wahân i'r giards, mae yna ryw bymtheg o staff y

galeri," esboniodd Corris. "Maen nhw'n aros yn nhafarn Pengwern yn Llan. Maen nhw'n gorfod mynd i'r stordai bob dydd a phrofi'r awyr, neud yn siŵr nad oes gormod o lwch, tynnu llun neu ddau allan, mynd â nhw i'r cwt pren arall acw. Gweithdy paent ydi hwn'na, lle maen nhw'n profi'r lluniau a neud yn siŵr fod popeth yn iawn."

Bellach roedd y Rolls Royce wedi cyrraedd safle'r Hôm Gard. Cododd Corris Tomos ei law i wyneb y sioffyr a stopiodd hwnnw'r car.

"Chi'ch dau, sefwch o flaen y car rhag ofn iddyn nhw drio ramio," rhybuddiodd Corris y ddau arall. Aeth at ffenest y sioffyr a gofyn am eu papurau.

"Lord Percival and Lady Petunia ..." darllenodd wrth dderbyn eu cardiau adnabod.

Agorodd ffenest yn y cefn a chlywsant lais gydag acen fonedd drom yn dweud,

"Is this Manod quarry?"

"No. The mountain is called Manod. The quarry is called Bwlch Slatars."

"Bulky slatter? We can't possibly say that!"

"How can I help you, sir?"

"We've come to check that our private collection is in safe hands."

"Private collection?" gofynnodd Corris.

"Yee-eys," meddai llais Lady Petunia o'r sedd arall. "We've sent our African collection here for safe keeping."

"And while we're at it, we might as well put an eyeball over dear old Lady Carmichael's collection. Great friend of ours," meddai Lord Percival.

"Sorry, Sir and Madam," meddai Corris Tomos, gan sythu y tu allan i ffenest y Rolls. "No private visitors. Strictly official."

"Dash it, soldier," ebychodd Lord Percival. "A bit of a blind eye for an old boy, eh? We're all on the same side here, aren't we?"

"No ... I mean, yes. But ..."

"You're not one of these Welsh rebels who go around burning our RAF bombing schools, are you?"

"No, sir ..."

"Drive on, Jennings!"

Refiodd y sioffyr yr injan a'i rhoi yn ei gêr. Ond eisteddodd Robat ac Eric ar fonet y Rolls.

"Down, you Welsh coolies, you'll dent my Rolls! Dash it all!" gwaeddodd y Lord.

Llithrodd y ddau oddi ar y bonet, ond yna gorweddodd Eric ar ei hyd ar y ddaear o flaen teiars y car.

"You have no official business here, sir," meddai Corris. "Plenty of room for you to turn around here and go back down the cwm."

"You wait till I have a word with the Major!" oedd geiriau olaf y Lord wrth i'r Rolls Royce ufuddhau i orchymyn y gard.

"Does yna drafferth efo rhai?" meddai Mei wrth wylio'r car mawreddog yn mynd yn ôl y ffordd y daethai.

"Un rheol i bawb. Dyna sut mae hi i fod yma," mynnodd Corris gan helpu Eric yn ôl ar ei draed a churo llwch y ffordd oddi ar ei iwnifform.

"Popeth yn iawn fan hyn?"

Gwelsant Alun John y cigydd yn brasgamu atyn nhw o'r

cytiau swyddogol yn ei lifrai sarjant.

"Ydi, popeth yn iawn, sarjant."

"Be oedd y Rolls 'na isio?" pwysodd Alun John. "Go brin mai danfon bara ichi oedd o, ia?"

"O, isio gweld bod eu lluniau'n iawn oeddan nhw," meddai Robat.

"Ond doedd ganddyn nhw ddim papurau caniatâd swyddogol," meddai Corris.

"Pwy oeddan nhw?" gofynnodd y sarjant, a thipyn o fin yn ei lais bellach.

"Lord Pyrsi ... Pyrsifal ..." meddai Eric.

" ... a Ledi Petawni ..." meddai Robat.

"Maen nhw bron yn roialti!" ebychodd Alun. "Ddaru chi 'rioed mo'u gwrthod nhw, y lloua cors!"

"Un rheol i bawb ..." dechreuodd Corris.

"Ond mae pobol fel y nhw uwch ben y rheolau, debyg iawn!" sgrechiodd Alun John. "Pobol fel nhw sy'n neud y rheolau ar eich cyfer chi a'ch tebyg! O, mi fydd yna le rŵan."

"Lle cafodd hwnnw ei betrol, tybed?" gofynnodd Corris, mewn llais diniwed.

"Be wyt ti'n ei feddwl?" gofynnodd Alun John yn swta.

"Dim ond teithwyr hanfodol sy'n cael petrol, yndê? Ydi dod i edrych a ydi dy luniau di'n iawn yn waith hanfodol?"

Brasgamodd y sarjant yn ei ôl at y cytiau swyddogol.

* * *

Roedd hi'n amlwg nad oedd y tri ohonyn nhw am gael mynd gam yn nes at fynedfa'r chwarel, felly dywedodd Mei wrth y gwarchodwyr eu bod ar eu ffordd i gopa'r Manod Mawr i weld yr olygfa.

I ffwrdd â nhw ar hyd ffordd chwarel y Graig Ddu oedd yn union uwch ben y fynedfa i chwarel Bwlch Slatars.

"Chwarel copa mynydd ydi'r Graig Ddu," eglurodd Meirion Ddu. "Mae hon yn cael ei chwythu o'r awyr agored, nid yng nghrombil y mynydd fel Rhiw-bach, Bwlch Slatars a gweddill chwareli Stiniog."

"Welwn ni rwbath o ben y mynydd, Mei?" holodd Nel.

"Na, ond wn i am ffordd lle gallwn ni weld y cwbwl," atebodd gyda winc.

"Ydan ni am fynd yn ôl at y fynedfa?" gofynnodd Sardar.

"Na. Dilynwch fi."

Gadawodd y tri ohonyn nhw y ffordd a dilyn llwybr tarw drwy'r grug a'r creigiau garw a heibio Llyn Pysgod. Cyn hir, y tu ôl i faen mawr ar y llethr a dan lwyni o lus a grug, gwelsant dwll du.

"Ceg Ogof Arthur!" meddai Mei gyda gwên. "Dach chi'n cofio'r simnai wynt honno yn Rhiw-bach? Dyna'n union ydi hon. Simnai wynt i'r lefel uchaf yn Chwarel Bwlch Slatars. Dwi am fynd i lawr hon am sbec."

"Gawn ni ddod, Mei?" crefodd Nel.

"Ddim y tro yma – does gen i ddim rhaff. Arhoswch chi yma. Cadwch o'r golwg. Os daw rhywun yn rhy agos, rhowch eich pen i lawr y twll yma a chwibanu'n uchel arna i."

"Chwibanu?" gofynnodd Sardar.

"Fel hyn," a chwibanodd Mei gyda'i fysedd.

"Fedra i ddim," meddai Sardar.

"Na finnau," meddai Nel.

"Wel, fedrwch chi neud sŵn fel Arthur 'ta?"

"CI-AW!" Rhoddodd y ddau ohonyn nhw gynnig arni.

"Mi wnaiff hynny'n werth chweil. Fydda i ddim yn hir."

Diflannodd Mei drwy geg y twll. Er craffu i lawr y simnai, doedd y ddau ar y brig ddim yn medru gweld dim i ddechrau. Yna, ymhen amser, ar ôl i'w llygaid gyfarwyddo, dywedodd Nel,

"Mae rhyw olau i lawr ymhell bell yn fan'cw. Wyt ti'n medru'i weld o, Sardar?"

"Lle? O, yndw. Rhyw wawr o olau, fel golau cannwyll."

"Pell ydi o. Mae gan Mei dipyn o ffordd i fynd."

"Sut ar y ddaear mae o'n medru dringo gyda dim ond un fraich?"

Hir pob aros ac wedi cyfnod a ymddangosai fel oes mul i'r ddau wrth geg y simnai, dyma glywed Mei yn dringo yn ôl i'r brig.

Aeth y ddau ato i gynnig help llaw, ond chwifio'i fraich i wrthod wnaeth Mei gan dynnu'i hun allan gerfydd ei ddwy benelin. Cymerodd ennyd i gael ei wynt ato. Yna eisteddodd yn y grug a dweud,

"Diddorol iawn! Mae hi fel canol dydd i lawr yna. Golau trydan drwy'r lefel, sŵn ffaniau, a wageni'n cario parseli mawr yn dal lluniau ar hyd y ffordd haearn. Mae yna ffaniau yna i gadw'r awyr yn sych a glân i luniau Llundain – doedd ganddyn nhw ddim ffaniau i gadw llwch a thamprwydd rhag mynd i ysgyfaint y chwarelwyr yma ers talwm!"

"Debyg iawn i ffatrïoedd y Punjab a melinau Manceinion felly," meddai Sardar.

"Mae yna fynd a dod garw i lawr 'na," aeth Mei yn ei flaen.

"Mi es i drwy'r simnai wynt, drwy dwnnel cul ac at y ffenest yn uchel uwch y siambr."

"Welaist ti un o'r lluniau enwog?" gofynnodd Nel.

"Na, doedd dim posib gweld dim byd. Roedd popeth wedi'i lapio'n daclus a diogel. Mae'r adeiladau brics newydd yn llenwi'r siambr. Roedd rhif 2 ar ddrws yr un welais i."

"Dyna'n union roedd Brei Drws Nesa yn ei ddeud," meddai Nel.

"Gawn ni fynd i lawr i weld rhyw dro, Mei?" gofynnodd Sardar. "Trysorau Affrica, dyna ddwedodd y Lord, yndê? Mi hoffwn fod yn yr un siambr â'r rheiny, hyd yn oed os na cha i eu gweld."

"Ydi, mae hon yn debycach i Ogof Arthur nag a feddyliais i," meddai Mei.

"Dew!" meddai Sardar, gyda gwên freuddwydiol ar ei wyneb. "Meddyliwch da fyddai hi!"

"Be?" holodd Nel.

"Wel, mynd i lawr y simnai wynt yna, nôl trysorau Affrica a mynd â nhw yn ôl i Affrica!"

"Callia," chwardodd Nel. "Sut gebyst fasat ti'n cael llong i fynd â chdi i Affrica, a hithau'n rhyfel?"

Ond dal i edrych yn rhyfedd ar y llanc heb ddweud gair wnaeth Meirion Ddu.

Wrth ddod i lawr o'r Manod Mawr yn ôl at ffordd chwarel Bwlch Slatars, câi'r tri olygfa wych o Gwm Teigl.

"Mae rhywun yn dod i fyny ffordd y cwm fel fflamiau," meddai Nel.

Gallent weld car llydan, llychlyd yn dyrnu dod i fyny'r allt, yr injan yn rhuo wrth iddi gael ei chlecian drwy'r gêrs. Wrth iddyn nhw gyrraedd safle'r gwarchodwyr, gwelsant y car hwnnw yn dod rownd y gornel olaf ar wib.

Roedd y sarjant ar ganol y ffordd gyda'i law awdurdodol yn yr awyr. Doedd y car ddim yn medru atal ei wib gyda chyn lleied o ffordd ar ôl, ac er mwyn osgoi rhoi'r sarjant ar y tarmac, bu'n rhaid i'r gyrrwr droi'r llyw yn ffyrnig i'r dde.

Gwelsant wyneb blin y gyrrwr wrth iddo frecio. Creithiau. Y tu ôl iddo, roedd Doctor Edwards yn edrych yn hollol ddigyffro, fel pe bai hyn yn digwydd ddwywaith neu deirgwaith y dydd yn eu hanes.

Sgrechiodd y teiars a phlannodd y car i mewn i wal garreg cwt y gwarchodwyr. Syrthiodd y rhan fwyaf o hwnnw yn byramid blêr o lanast chwarel wrth ochr y ffordd. Clywyd sŵn ffrwydrad o wydr wrth i un garreg hedfan drwy ffenest y gyrrwr. Pan stopiodd y car, cerddodd Creithiau ohono a gwaed yn llifo i lawr ochr dde ei wyneb.

Ond nid hynny oedd yn ei boeni.

"'Dan ni wedi cael galwad i ddeud bod damwain ddrwg wedi digwydd yn un o lefelau isaf y chwarel yma," meddai wrth Alun John.

"Dim papur swyddogol, dim mynediad," mynnodd hwnnw.

"Callia, ddyn," chwyrnodd sioffyr y doctor. "Mater meddygol 'di hwn. Nid chwarae cowbois 'dan ni rŵan."

"Ti'n dreifio fel cowboi, beth bynnag," meddai'r cigydd.

"Dan ni angen cael y doctor i inclên y chwarel." Rhoddodd Creithiau gynnig arall arni.

"Ond ..." dechreuodd Alun John wedyn.

"Cau dy geg neu mi ga i'r doctor i'w phwytho hi iti,"

cyfarthodd Creithiau. "O'r ffordd!"

Llamodd yn ôl i'w sêt, clecian y car i'r gêr gyrru'n ôl a throed i lawr heibio'r sarjant a thomen y cwt gwarchodwyr a choedio mynd at fynedfa'r chwarelwyr.

"Diwrnod cyffrous ar y mynydd heddiw!" meddai Mei wrth iddyn nhw basio.

"Codwch y wal yna, a thrïwch ei neud hi'n fwy cadarn y tro yma," meddai'r sarjant wrth Corris, Eric a Robat cyn brasgamu'n ôl at y cytiau swyddogol.

Bron na allai Sardar a Nel weld stêm yn dod allan o'i glustiau.

Pennod 6

"Blasus iawn! Dwi erioed wedi bwyta pysgodyn mor flasus â hwn'na!" meddai Sardar.

Roedd Meirion Ddu wedi'u coginio ar lechen ar dân agored ar domen chwarel Rhiw-bach. Rhwng arogl y coed yn llosgi a'r brithyllod yn coginio, roedd yn ddigon i dynnu dŵr o'r dannedd hyd yn oed cyn rhoi'r cig brau mewn brechdanau.

"Lwcus 'mod i wedi bod i lawr yng Nghwm Penmachno y bore yma a chael torth ffres o'r becws," meddai Mei. "Dewch â'r esgyrn i mi. Mi wna i eu claddu nhw dan gerrig mawr yn y domen yma rhag i Siw gael gafael arnyn nhw a thagu wrth gael un ar draws ei gwddw."

"Bydd yn rhaid iti fynd eto fory, Mei," meddai Nel. "Mae hon bron â mynd i gyd!"

"Ddim o bwys, mae gen i fwy o lechi angen eu cario i lawr yno. A falle y ca i fwy o hanes y storfa drysorau sy ganddyn nhw tua Dolgarrog yna."

"Mwy o drysorau?" gofynnodd Sardar.

"Mae mab siop y Cwm yn gweithio yn ffatri alwminiwm Dolgarrog. Gwaith i'r rhyfel – darnau awyrennau aballu. Wel, mae yna blas yn rhan o'r ffatri – Plas Maenan, lle roedd y rheolwr yn byw. Mae pobol y rhyfel yno rŵan ac yn seler y plas mae yna stafell haearn anferth. Mae Dei Cwm wedi bod yno – lle i storio cynlluniau, darnau prin aballu. Wel, ar ddechra'r rhyfel yma cyn i'r bomiau ddechra cael eu gollwng, mi gyrhaeddodd nifer o sêffs o Lundain ar y trên i Ddolgarrog. Roedd Dei Cwm a rhai o'r hogiau yn gorfod cael offer codi injans o'r ffatri i godi'r rhain o'r trên i gefn lorri ac wedyn mynd â nhw i'r stafell haearn yn seler Plas Maenan. Roedd y dynion o Lundain yn deud mai trysorau'r teulu brenhinol oeddan nhw."

"Trysorau'r teulu brenhinol!" Lledodd llygaid Sardar yn fawr, fawr.

"Helfa'r canrifoedd, medden nhw," meddai Mei. "Pob math o dlysau gwerthfawr mae byddinoedd y goron wedi'u cipio o bedwar ban byd. Fel arfer, mae'r ysbail yma'n cael ei gadw yn y Tŵr yn Llundain."

"Fyddai'r trysorau yma'n cynnwys y diamwnt mwyaf gwerthfawr yn y byd?" holodd Sardar.

"Pa un ydi hwnnw?" gofynnodd Mei.

"A be wyt ti'n ei wbod am ddiamwntau!" meddai Nel.

"Mae pob plentyn yn y Punjab wedi clywed y stori hon," atebodd Sardar. "Mae'n rhan o pwy ydan ni."

Estynnodd ei goesau o'i flaen i'w wneud ei hun yn gyfforddus ar y domen lechi a dechreuodd ar yr hanes.

"Roedd byddin coron Lloegr wedi bod yn India ers rhyw gan mlynedd a mwy, yn rhyfela, rheoli a dwyn ac roedd pobl y wlad yn dioddef un newyn mawr ar ôl y llall, dyna pa mor dlawd oedden nhw. Cyn i fyddin Lloegr gyrraedd, roedd India yn un o'r gwledydd cyfoethocaf yn y byd. Y trysor mwyaf yn y Punjab oedd diamwnt mwyaf y byd, ar un adeg. Ei enw ydi'r Koh-i-Noor – yn eich iaith chi mae'r enw yna yn golygu 'mynydd o oleuni'. Cafodd ei godi o'r graig yn India wyth can mlynedd yn ôl ac erbyn 1809 roedd yn eiddo Ranjit Singh, Maharaja y Siciaid yn y Punjab.

"Yn yr 1840au, aeth yn ddrwg rhwng y Siciaid a byddin coron Lloegr. Cafwyd dau wrthryfel mawr ac er i'r Siciaid ymladd yn ddewr a ffyrnig, fel bob amser, cawson nhw eu trechu. Erbyn 1849, dim ond Duleep Singh, mab deng mlwydd oed yr hen frenin oedd ar ôl o blith y teulu brenhinol brodorol. Ym mis Mawrth 1849, roedd y bachgen deg oed mewn ystafell ysblennydd yn Lahore gyda grŵp o ddynion cotiau cochion a hetiau pluog yn ei amgylchynu. Dan arweiniad y pwysigion hyn a'u hiaith ddieithr, arwyddodd ddogfennau yn rhoi'r hawl iddyn nhw reoli ei wlad. O fewn munudau, tynnwyd baner teyrnas y Siciaid i lawr a chodwyd yr Iwnion Jac.

"Roedd y bachgen wedi cyflwyno'r Punjab, gan gynnwys rhai o'r tiroedd brasaf yn India, i'r Saeson. Ar ben hynny, roedd wedi cyflwyno'r diamwnt mwyaf gwerthfawr yn y byd yn 'rhodd' i Fictoria, brenhines Lloegr. Mi aed â'r diamwnt i Lundain. Pan gyrhaeddodd Plymouth, penderfynwyd dangos y diamwnt yn Arddangosfa Fawr Crystal Palace yn 1851. Heidiodd torfeydd yno i sefyll mewn ciwiau hirion er mwyn cael cip ar ysbail ddiweddaraf yr Ymerodraeth Brydeinig.

"Ers hynny, mae'r diamwnt wedi'i dorri a'i osod mewn coronau sy'n cael eu defnyddio gan deulu brenhinol Llundain bob tro y bydd un arall ohonyn nhw'n cael ei goroni.

"Bob tro mae'r Siciaid wedi gofyn i'r Koh-i-Noor gael ei ddychwelyd iddyn nhw – y perchnogion dilys – ers hynny, mae coron Lloegr yn mynnu mai anrheg i'r frenhines Fictoria ydoedd ac nad oes angen felly iddo adael Twr Llundain. Ond rŵan, dyma Mei yn dweud fod y diamwnt wedi gadael y Tŵr ac yn seler … lle mae o hefyd?"

"Plas Maenan, wrth Dolgarrog," atebodd Mei. "Mewn stafell haearn mewn seler, gyda milwyr yn ei warchod. Os ydi o yno, wrth gwrs. Stori Dei Siop ydi'r cyfan sy gen i, cofia."

"Ond mae mor gyffrous!" meddai Sardar. "I feddwl fy mod i – efallai – o fewn ychydig filltiroedd i'r Koh-i-Noor!"

"Mi fyddai llawer o bobol o sawl gwlad yn y byd yn medru deud rhwbath tebyg am drysorau eu gwledydd eu hunain sy wedi cael eu hysbeilio i Dŵr Llundain," meddai Mei.

"Pa drysorau fyddai'r rheiny, felly?" gofynnodd Nel.

"Coron Arthur y Cymry yn un," atebodd Mei.

"Coron Arthur?"

"Yn wahanol i bobl y Punjab, dydan ni ddim yn dda iawn am adrodd hanesion ein gwlad wrth ein plant," meddai Mei. "Ond dyma beth a ddarllenais i yn un o'r cyfrolau yn llyfrgell Rhiw-bach. Arthur oedd arwr mawr y Cymry, fel y gwyddoch chi'n dda. Wedi i'r Rhufeiniaid adael, mi adawyd bwlch yn nhiroedd y Celtiaid oedd yn byw ar yr ynysoedd hyn. Heb y fyddin orau yn y byd, doedd neb yn medru amddiffyn y lle. Mi ddaeth y Sacsoniaid a'r Germaniaid yma o gorsydd ac ynysoedd yr Almaen a dyna ddechra'r brwydrau mawr rhwng y Cymry a'r Saeson.

"Roedd Arthur yn ymladd yn y ffordd roedd y Cymry wedi'i dysgu gan y Rhufeiniaid, sef ar gefn ceffylau. Daeth marchogion Arthur – Marchogion y Ford Gron – yn feistri corn ar ymladdwyr y Sacsoniaid. Mi drechodd Arthur a'i fyddin y Saeson mewn deuddeg brwydr fawr a bu heddwch yma am hanner can mlynedd. Ond pan fu farw Arthur a chael ei gludo i Afallon, dechreuodd y Saeson ymosod ac ennill tir oddi ar y Cymry eto. Weithiau, byddai gennym arweinydd nerthol ac roeddan ni'n llwyddo i ddal gafael ar ein gwlad, adennill tir a gollwyd, hyd yn oed, ond yna mi ddeuai'r cyfnodau tywyll yn ôl.

"Enw un o frenhinoedd mawr y Saeson oedd Edward I. Roedd hwnnw wedi gwirioni ar stori'r Brenin Arthur. Roedd yn arwr iddo am ei fod wedi rheoli dros yr ynysoedd yma i gyd. Dyna oedd ei freuddwyd yntau – bod yr Alban, Iwerddon a Chymru o dan ei reolaeth. Dach chi'n gweld, roedd wedi camddeall gwaith Arthur yn llwyr. Amddiffyn a chael heddwch, dyna nod Arthur. Ond ymosod, rheoli drwy drais, gormesu – dyna oedd amcan Edward.

"Gwariodd Edward ffortiwn ar brynu byddinoedd o bob rhan o Ewrop er mwyn ymosod ar y Cymry. A deud y gwir, gwagiodd y trysorau o Dŵr Llundain i dalu amdanyn nhw. Bu bron iawn i'r hwch fynd drwy'r siop. Gwariodd ar fyddinoedd ac yna ar gestyll i gadw'r Cymry o dan ei fawd. Ac yn y diwedd, cafodd o'r trysor roedd yn ei chwenychu yn fwy na dim. Ar ôl lladd Llywelyn, Tywysog Cymru, aeth byddin Edward i Abaty Aberconwy, lle roedd y Cymry'n cadw eu trysorau mwya gwerthfawr. Yno, ymysg y gemau a'r aur a'r arian, roedd coron arbennig. Coron Arthur. Roedd hi wedi'i chadw gan arweinwyr y Cymry ers dyddiau Arthur. A dyna ichi ddathlu wnaeth Edward pan gafodd ei ddwylo arni. Aeth â hi, gyda gweddill yr ysbail, o Gymru i Dŵr Llundain."

"Ci-aw! Ci-aw!" galwodd y frân goesgoch ar awel y mynydd.

Bu'r tri ohonyn nhw'n dawel am ysbaid wrth feddwl dros

yr hanes hwnnw. Yna daeth Siw, yr un na allai ddioddef gormod o lonyddwch a thawelwch, at Nel a gwthio'i thrwyn i'w llaw.

"Felly mae'n bosib bod Coron Arthur a diamwnt y Koh-i-Noor yn y sêffs yma yn y seler?" meddai Nel.

"Mae'n rhyfedd meddwl hynny, ond mae'n debyg bod y peth yn bosib," nododd Mei.

Tawel iawn oedd pethau rhwng Nel a Sardar ar y llwybr i lawr o'r mynydd y prynhawn hwnnw.

* * *

Yn ôl yn Nhan y Clogwyn, gwelsant fod Brei Drws Nesaf yn eistedd ar garreg wrth y giât mochyn, ac roedd Anwen Jones newydd gario paned iddo.

Cyfarchodd Nel ef yn sionc, ac roedd ar fin dechrau ei holi'n dwll am gyfrinachau'r siambrau pan dorrodd ei mam ar ei thraws.

"Mae Brei yma wedi cael ei ysgwyd yn arw," meddai. "Mi fu damwain ddrwg yn y chwarel heddiw."

"Ti wedi brifo, Brei?" holodd Nel.

"Na, nid y fo. Nid yn y lefelau lle mae o'n gweithio," esboniodd Anwen Jones.

"Y chwarelwyr!" meddai Sardar.

"Roeddan ni ar ben y Manod Mawr pan gyrhaeddodd Doctor Edwards," meddai Nel. "Wedi mynd i fyny i'r copa i weld yr olygfa oeddan ni."

"Damwain ddrwg?" gofynnodd Sardar.

"Mi gafodd un o'r chwarelwyr ei ladd," meddai Anwen

Jones, a'r geiriau hynny'n mynd â hi'n ôl i gyfnod arall, damwain arall.

"Eifion Tyddyn Gwyn," meddai Brei.

"Ond mae o'n hen ddyn," meddai Nel. "Ydi o ddim yn frawd i daid Gwenda?"

"Dyna ti," meddai Anwen Jones. "Andros o ergyd i'r teulu. Mae'r ddau fab i ffwrdd yn y fyddin."

"Mae dynion hŷn yn gorfod neud gwaith y creigwyr a'r rybelwyr iau, rŵan bod y rheiny i ffwrdd efo'r rhyfel," meddai Brei.

"Be oedd ei waith o?" gofynnodd Sardar.

"Llenwi wageni a'u bachu yn ei gilydd ac ar winsh yr inclên fawr roedd Eifion," eglurodd Brei. "Mae'r winsh yn tynnu tair neu bedair wagen i'r wyneb efo'i gilydd. Ond aeth rhwbath o'i le heddiw. Mi dorrodd bachyn y wagen gyntaf. Dyma'r dair arall yn t'ranu mynd yn ôl i lawr yr inclên. Chafodd Eifion ddim chwarter siawns i symud o'r ffordd ..."

"Doedd Doctor Edwards ddim yn medru neud dim iddo fo?" holodd Nel.

"Pigiad lladd poen cyn iddo farw o'i glwyfau, dyna i gyd."

"Chwarae teg i Doctor Edwards, mi aeth lawr i waelod y lefelau yn ei siwt, ar hyd yr inclên a honno'n byllau dŵr i gyd."

"O leia roedd ganddo fo olau trydan i weld lle roedd o'n mynd," meddai Nel.

"Nagoedd siŵr," meddai Brei. "Dim ond yn y lefelau ucha lle mae'r lluniau mae'r goleuadau trydan."

"Be? Ydi'r chwarelwyr yn gorfod gweithio yn y tywyllwch o hyd?"

"Ydyn. 'Run fath â holl chwarelwyr Stiniog, 'de."

"Ond efallai y byddai trydan wedi ... hynny ydi, tasa rhywun wedi gweld bod yna rywbeth o'i le ar y bachyn ..." meddai Sardar.

"Waeth heb na hel meddyliau am y petasai a'r petai ar amser fel hyn," meddai Anwen Jones. "Amser i dderbyn be ddigwyddodd ac estyn llaw i'r teulu ydi hi rŵan."

Pennod 7

Roedd Capel Bethesda, Manod, o dan ei sang ar ddiwrnod yr angladd.

O'i sedd wrth ochr ei mam yn y galeri, edrychodd Nel ar gefnau cotiau ei thaid a'i nain o'i blaen, yna edrychodd i lawr ar yr ochr o flaen y sedd fawr. Un tusw bychan o flodau ar glawr yr arch a phlât metal gloyw, gydag enw Eifion Tyddyn Gwyn arno, mae'n siŵr. Sgleiniai'r dolennau ar ochr yr arch hefyd.

Yn y sêt fawr, roedd nifer o ddynion mewn cotiau duon a choleri gwynion, pob un â'i ben yn isel.

Roedd y rhesi seddau agosaf at yr arch yn wag. Yn y rhain ym mhen blaenaf y capel y byddai'r teulu'n eistedd. Llenwai cerddoriaeth yr organ y capel. Roedd rhai o'r gynulleidfa'n dal i gyrraedd, a sŵn eu traed yn atseinio ar y grisiau pren i'r galeri. Ambell besychiad sych, ambell anadl drom – dyna'r synau eraill oedd yn y capel.

Yn sydyn, distawrwydd. Dim sŵn organ. Gwelodd Nel ddyn mewn siwt ddu yn rhoi arwydd o gefn y capel. Cododd un gweinidog yn y sêt fawr. Gwnaeth ystum â'i ddwylo a chododd y gynulleidfa ar ei thraed.

Cerddoriaeth brudd, araf a gafwyd wedyn wrth i'r teulu agos gerdded i mewn i'w seddau. Druan ohonyn nhw, meddyliodd Nel. Clywodd rai'n sniffian, yn cuddio'u hiraeth y tu ôl i hances boced wen.

Yna, gwelodd Gwenda ym mraich ei mam. Roedd ei thaid yno yn y rhes hefyd, ei ben yn uchel yn edrych yn syth i gyfeiriad yr arch ac yn oedi i nodio'i ben arni cyn troi am ei sedd. Roedd yno ddau ŵr ifanc mewn lifrai milwrol hefyd.

Aeth y gwasanaeth yn ei flaen. Darlleniadau, emynau, geiriau. Clywodd Nel y cyfan ond nid oedd yn gwrando ar ddim.

Yna roedd y dyrfa'n symud eto, yn codi, yn gwylio'r arch yn gadael, gwylio'r teulu'n gadael ac yna'n dechrau ar y broses hir o wagio'r capel. Gwenodd Taid a Nain Manod arni wrth wneud lle iddi adael ei sedd o'u blaenau.

Roedd y stryd y tu allan yn ddu gan bobl, a phawb yn troi yr un ffordd ac i mewn i'r fynwent fawr yng nghefn y capel. Pasiodd Nel a'i mam resi ar resi o gerrig beddau wrth symud gyda'r dyrfa at y bedd agored. Safai'r cerrig glas mewn rhesi, cerrig chwarel gyda geiriau fel 'annwyl', 'hoffus' a 'serchog' arnyn nhw. Teuluoedd chwarelwyr oedd wedi'u claddu yno.

Doedd y niferoedd oedd yn llenwi'r fynwent ddim yn rhoi cyfle iddyn nhw fynd yn agos at y gwasanaeth ar lan y bedd. O bell, clywodd Nel y geiriau olaf, yr alaw ddagreuol ac yna'r dynion oedd yn dal y rhaffau yn gollwng yr arch o'r golwg i'r ogof dywyll. Edrychodd draw dros wal y fynwent i lawr at goed Cwm Bowydd ar y llechweddau oedd yn disgyn at yr afon. Roedd lliwiau cyntaf hydref yn y dail bellach. Edrychodd i fyny at lethrau'r Manod Bach. Roedd y lliw rhwd wedi dechrau bwyta'r rhedyn.

Daeth murmur mân siarad i lenwi'r fynwent wedyn – pobl yn nesu at y teulu, yn ysgwyd llaw, gafael am ysgwydd, nodio pennau a dweud geiriau cynnes. Pobl yn siarad gyda'i gilydd.

Daeth gŵr a gwraig draw i siarad gydag Anwen Jones a Taid a Nain Manod. Safodd Nel oddi wrthyn nhw, yn dal i edrych i fyny at y Manod Bach.

Toc, dywedodd ei mam wrthi ei bod yn mynd draw i gydymdeimlo â theulu Tyddyn Gwyn.

"Wela i di yn y festri wedyn, lle bydd y te," meddai wrth Nel, gan bwyntio at yr adeilad to llechi yr ochr draw i'r fynwent.

Yn ddiarwybod iddi'n hun bron, cafodd Nel ei hun yn cerdded oddi wrth y dyrfa i gornel arall y fynwent, yn is i lawr y llechwedd lle roedd haul y prynhawn yn taro ar gefnau'r cerrig. Gwyddai lle roedd hi'n mynd.

Safodd o flaen bedd ei thad. Darllenodd ei enw ar y garreg. Ac enw'i mam. A'i henw hithau. A Taid a Nain Manod. Darllenodd y dyddiad eto. Cyn ei chof hi. Ond roedd rhywbeth yn brifo y tu mewn iddi wrth iddi ei ddarllen er hynny.

Edrychodd yn ôl i fyny llethr y fynwent at lle roedd y galarwyr bellach yn dechrau chwalu, rhai yn gadael a rhai yn mynd am y festri. Gwelodd un dyn yn sefyll ar ei ben ei hun. Roedd ei ddillad yn ddieithr. Siwt dywyll. Ond roedd ei wallt yn llaes, yn flêr ac yn dorchog fel arfer. Meirion Ddu. Roedd hwnnw yn edrych ar garreg fedd hefyd ac wedi ymgolli ymhell yn ei fyd ei hun.

Mam, meddyliodd Nel wrthi'i hun. Gwelodd ei mam yn cerdded tuag ato. Safodd y ddau uwch y bedd, ond nid oedd yr un yn dweud gair.

Yna cododd ei mam ei phen a'i gweld wrth fedd ei thad. Rhoddodd ei llaw ar lawes Mei a cherdded heibio iddo a dod i lawr y llwybr i'w chyfeiriad. Aeth Nel tuag ati.

"Cael gair efo Dad oeddat ti?" gofynnodd ei mam.

"Heb fod ers tro. Roedd yna flodau newydd ar y bedd hefyd."

"Roedd hi'n ben-blwydd arno ddechra'r mis yma. Fi ddaeth â nhw."

Edrychodd Nel yn ôl i fyny'r rhesi beddau. Doedd Meirion Ddu ddim yno bellach.

"Oes gan Mei deulu yma hefyd?"

"Ei wraig. Luned."

"Roedd gan Mei wraig?"

"Mi fuodd hi farw'n ifanc. Y ddarfodedigaeth. Haint tai tamp. Mae yna ddigon o dai felly yn Stiniog. Mae'r clefyd yn glynu yn y waliau mewn tai tlawd, meddan nhw – neu dyna'r hen goel, beth bynnag. Newydd briodi, mi symudon nhw i dŷ teras dan gysgod y graig. Roedd yna hen wraig newydd farw o'r haint yno cyn hynny, a fu Luned ddim byw yn hir iawn wedyn. Tamprwydd a thlodi wnaeth ei lladd hi."

"Wyddwn i ddim am hynny. Faint yn ôl oedd hynny?"

"Rhyw flwyddyn cyn damwain dy dad. Roedd gan bawb gydymdeimlad mawr efo fo. Ond ..."

"Ond be?"

"Un gwyllt ydi Mei. Mi wnaeth y farwolaeth ddeud arno fo'n arw. Roedd o'n cicio'n erbyn popeth. Tynnu dy dad allan i neud petha na ddylai dyn priod gyda phlentyn ei neud ..."

"Potsio, ti'n ei feddwl?"

"Sut gwyddost ti am hynny?" gofynnodd ei mam. "Ia, potsio'r afonydd a'r llynnoedd. Wn i ddim be arall. Doedd yn dda gen i mo'i weld o'n agos i dy dad yr adeg honno. Ond wedyn, mi ddigwyddodd hyn, yn do."

Nodiodd Anwen Jones ei phen i gyfeiriad bedd ei gŵr.

"Wnaeth o dawelu ar ôl i Dad gael ei ladd?"

"Na. Gwaeth aeth o. Dwi prin wedi'i weld o ers hynny, nes i mi ei weld wrth droed yr inclên pan oeddat ti a Brei yn chwilio am Sardar. Mae wedi bod yn byw yn y mynydd yna fel dyn gwyllt."

"Mae yna ochr arall iddo fo hefyd. Mae'n glên a gofalus iawn ohonon ni. Ac mae o'n un da am stori."

"O, mae ganddo fo ddawn deud erioed," meddai Anwen Jones.

Trodd y ddwy a dechrau cerdded ar hyd y llwybr at y festri.

"Mae diwrnod fel heddiw yn dod â'r cwbl yn ôl," meddai Anwen wedyn.

A hwythau bron â chyrraedd y festri, lle roedd twr o bobl yn sgwrsio y tu allan, trodd Nel at ei mam.

"Mam, ddoi di ddim am dro efo fi? Does yna ddim rhaid inni fynd i nôl te, oes 'na?"

"Nagoes, siŵr. Ia, tyrd. Awn ni am y giât ffordd acw."

Wedi cyrraedd y ffordd fawr, gofynnodd i Nel:

"Pa ffordd awn ni?"

"I'r chwith."

"Yn ôl am adra?"

"Ddim yn hollol. Ddangosa i iti."

Ar hynny, dyma lorri LNWR yn dod i'w hwyneb ac yn eu pasio ar y ffordd.

Cyn cyrraedd y fforch rhwng y Stryd Fawr a Stryd Bethania, trodd Nel i'r dde ar hyd llwybr cul rhwng y tai.

"Nel! I be awn ni'r ffordd yna? 'Dan ni yn ein sgidiau a'n dillad gorau, cofia!"

"Twt, mae'n ddigon glân," atebodd ei merch. Toc roedden nhw wedi cyrraedd inclên y Graig Ddu.

"Roedd yna wraig oedd yn athrawes yn ysgol Rhiw-bach oedd yn dod i lawr yr inclêns yma ar gar gwyllt bob dydd!" meddai Nel.

"Wn i siŵr. Kate Hughes. Dwi'n cofio Mam yn sôn amdani."

"Dwi wedi bod isio dringo'r rhain ers tro, dim ond i weld yr olygfa roedd hi'n ei chael ar ei thaith adra."

"Maen nhw'n rhai serth, cofia. Mae'r nesa yma'n mynd â ni i Lefel Dŵr Oer."

Dringodd y ddwy gan bwyll.

"Ti 'di mynd yn hoff iawn o hen chwareli'r topiau yma, Nel."

"Mae'n anodd egluro, Mam."

"Be'n union."

"Dyma'r agosa dwi'n medru bod ato fo, rywsut."

"Pwy?"

"Dad, yndê. Dwi'n edrych ar rai o'r tomenni rwbel yma. Mae Mei yn deud bod pob un o'r cerrig yma wedi'i chario gan ddwylo dyn ar ei daith o'r mynydd. A dwi'n meddwl uwch ben ambell garreg, tybed ddaru Dad gydio yn hon?"

"Wyt ti'n meddwl peth felly?"

"A phan o'n i wrth Fwlch Slatars, fedrwn i ddim peidio â meddwl lle mae'r garreg wnaeth ei daro pan oedd o ar y clogwyn yn y siambr ..."

"Sut gwyddost ti am hynny?"

"Mei ddwedodd. Pan oeddan ni yn un o siambrau Rhiw-bach."

"Yn Rhiw-bach. Pryd fuoch chi yn y fath le?"

Sylweddolodd Nel ei bod hi'n rhy hwyr iddi frathu'i thafod. Roedd y wagen allan o'r twnnel.

"Roedd Mei yn gwbod lle oedd yn ddiogel, Mam. Roedd y daith yn un anhygoel. Bron iawn nad oeddwn i'n medru gweld Dad drwy'r tywyllwch erbyn y diwedd."

"Paid ti â mynd ar gyfyl y llefydd yna eto, ti'n dallt? Cerrig angau sy yn yr hen dyllau chwarel yma."

"Ond dwi mor falch 'mod i wedi cael gweld a chael profi. Cael bod mor agos ..."

"Ti'n dallt?"

"Ond dim ond ..."

"'Dan ni newydd gladdu dyn arall heddiw, Nel. Mae'r tyllau yna'n bwyta pobol. Mi ddweda i hyn i gyd wrth Sardar hefyd fel ei fod o'n dallt nad ydi yntau ddim i dy annog di i fynd i'r hen dyllau yna. Does yna ddim ffasiwn beth â lle saff ynddyn nhw. Cerrig rhydd, clogwyni, pyllau dwfn, llygod ... Chwareli marwolaeth ydyn nhw. Ceg y bedd."

"Does yna ddim llygod yn Rhiw-bach erbyn hyn, meddai Mei. Wst ti be, Mam? Pan aeth y dyn gofalu am y cêbls a'r olwynion i lawr y tro cynta ar ôl iddyn nhw ei chau hi'r tro diwetha, be welai o yng ngolau ei lamp ond llygaid llygod ar hyd y lle, fel petaen nhw'n disgwyl amdano fo!"

"Ych-a-fi!"

"Roeddan nhw ar lwgu. A dipyn bach yn beryg. Y rhai mawr, hynny ydi, yn ôl Mei."

"Oes yna lygod mawr yna?"

"Lle mae dyn mae llygod, yndê, Mam? Roedd y chwarelwyr yn gadael rhyw grystiau ar hyd y lle, felly pan orffennodd y gwaith, doedd yna ddim bwyd, yn nagoedd? Mi wnaiff llygod fwyta gwêr canhwyllau hefyd, ond ar ôl sbel, roedd y gwêr wedi darfod hefyd."

"Ac mi wnaeth y llygod yma droi ar y dyn cynnal y cêbls?"

"Mi fasan wedi neud, mae'n debyg, ond roedd o wedi gofalu mynd â phastwn efo fo. Roedd o wedi bod wrth y gwaith yna o'r blaen. Ac mi fu raid iddo fo ddefnyddio'r pastwn, meddai ..."

"Meddai Mei, mwn."

"Ond ymhen 'chydig wythnosau, roeddan nhw i gyd wedi mynd."

"Wedi dod i lawr y mynydd i'r Blaenau, mae'n siŵr."

"Mae Sardar yn deud nad ydi tai Blaenau yma fawr gwell na strydoedd cefn Lerpwl neu dai Punjab, hyd yn oed!"

"Gweithwyr tlawd y byd, dyna ydan ni i gyd. Doedd Sardar ddim yn yr angladd heddiw?"

"Mi ddaeth efo fi a Gwynfor i gydymdeimlo i dŷ Gwenda echnos. Ond roedd o'n teimlo nad oedd yna le i ddieithryn mewn angladd fel un heddiw, medda fo."

"Ydi o'n dal i deimlo fel dieithryn?"

"Anodd gwbod. Mae'n ein hadnabod ni'n well na ni'n hunain, dyna fydda i'n ei feddwl weithiau, Mam."

"Ew, rho bum munud imi."

Sythodd Anwen Jones ei chefn ar y ddringfa serth. Trodd i wynebu'r olygfa oddi tanyn nhw. Gallai weld tai teras Manod a Tyddyn Gwyn islaw, yr ysgol, y capel a'r fynwent – y fynwent oedd yn ymestyn ac ymestyn fel cof dros y llethr glas.

"Wyt ti ddim yn meddwl bod cofio yn bwysig, ond bod deall yn bwysicach?" gofynnodd Nel.

"Ydw," atebodd ei mam, gan edrych ar y tomenni a'r terasau oddi ar yr inclên.

"Mae'r hyll yn medru bod yn hardd weithiau. Ond cofia di – dwi'n golygu be ddwedais i. Ti ddim i fynd i mewn i'r un o'r chwareli yma eto."

Pennod 8

Sadwrn, 31 Medi 1941

"Dwi'n meddwl fod Arthur wedi cael cariad!" meddai Mei wrth Nel, Gwynfor, Sardar a Gwenda.

"Ydi brain yn cael cariadon?" gofynnodd Gwenda.

"O, ydyn," meddai Gwynfor. "Mae Nain yn dod o Lannor yn Llŷn ac mae'n taeru fod y brain o gwmpas yr eglwys yn fan'no yn siarad efo'i gilydd. Ar ddiwedd y dydd, maen nhw'n hel at ei gilydd ar dair coeden fawr yn y fynwent ac yn sgwrsio ac yn taeru. 'Senedd y Brain' mae Nain yn galw hynny."

"Ydach chi wedi sylwi sut gwnaeth Arthur ddod yn agos atoch chi ac edrych ar eich wynebau chi y tro cyntaf wnaethoch chi gyfarfod?" holodd Mei. "Dod i nabod eich wynebau chi roedd o – mae o'n eich cofio chi ers hynny."

"Be? Ydi brân yn medru cofio wynebau?" meddai Nel.

"O, ydi ac yn adnabod lleisiau," atebodd Mei. "Mae Arthur yn nabod eich lleisiau chi i gyd, a f'un i, ac wedi dysgu rhyw ugain o eiriau Cymraeg, mae'n siŵr ichi. Faswn i'n synnu dim nad ydi o'n gwbod eich enwau chi bob un!"

"Pwy ydi'r cariad 'ta?" holodd Gwenda. Hi oedd wedi gofyn i'r lleill am gwmni i ddod at y chwareli uchaf y bore hwnnw. Roedd dros bythefnos wedi mynd heibio ers angladd Eifion Tyddyn Gwyn ac roedd hi'n meddwl y byddai'n beth da

dod i fyny a chofio amdano wrth grwydro o amgylch Rhiw-
bach a Bwlch Slatars.

Roedden nhw wedi dod ar draws Meirion Ddu yn siarad
gydag un o greigwyr Bwlch Slatars y tu allan i gwt sgwâr yn y
bwlch yr ochr isaf i domen lydan y chwarel honno. Roedd
wedi rhoi tun yn ei boced a dod draw am sgwrs gyda'r criw a
holi sut oedd pethau yn yr ysgolion newydd.

Ond yn fuan iawn, hanes Arthur a'i gariad oedd wedi
mynd â'u bryd.

"Brân goesgoch arall ydi hi, wrth gwrs," meddai Mei. "Mi
soniais i wrthych chi o'r blaen eu bod nhw'n brin. Mae rhai yn
nythu ac yn clwydo yng nghlogwyni'r chwarel agosaf i'r
wyneb. Wnân nhw ddim hedfan dan ddaear. Ond mae'r
creigiau uchel, garw wrth y mynedfeydd a hefyd rhan uchaf y
simnai gwynt yn ddelfrydol ganddyn nhw. Ond welwch chi'r
clogwyn acw yn union o dan y bwlch ...?"

Pwyntiodd Mei at graig dywyll uwch ben ffordd Cwm
Teigl, ar ôl iddi ddringo i'r topiau.

"Carreg y Frân ydi enw honno. Craig naturiol ydi hi, nid
craig hen chwarel. A'r frân sy'n nythu yno ers erioed, am wn i,
ydi'r frân goesgoch. Anelu am honno y mae Arthur y dyddiau
yma, a dwi'n meddwl yn siŵr ei fod wedi cael gafael ar wraig
yno!"

"*Mae* brain yn syrthio mewn cariad, felly?" meddai Nel.

"Maen nhw'n aros efo'r un cymar ar hyd eu hoes," meddai
Mei. "Hyd yn oed os ydi'r cymar wedi torri aden neu wedi
colli coes, mae'r llall yn aros. Maen nhw'n bwydo efo'i gilydd
ac yn bwydo'i gilydd os oes angen."

"Mae'r brain yn byw yn India hefyd," ychwanegodd

Sardar. "Ac mae gennym ni straeon sy'n dangos pa mor glyfar ydi'r brain. Mae brain India yn gallu meddwl dau neu dri cham o flaen eu gelynion."

"Tyrd â stori inni, Sardar," meddai Gwenda.

"Roedd pâr o frain yn nythu mewn coeden uchel yng ngardd palas y brenin. Yn y canghennau ar frig y goeden yr oedd y nyth. Ond roedd neidr yn byw mewn twll dan wraidd y goeden. Bob tro y byddai'r frân – oedd yn iâr – yn dodwy, byddai'r neidr yn sleifio i fyny'r goeden a bwyta'r wy. Roedd y brain yn galaru am bob wy roedden nhw'n ei golli ond doedden nhw ddim yn medru gwneud dim i rwystro'r neidr. Honno a'i gwenwyn oedd yn rheoli'r goeden."

"Mae'n swnio fel Hitler a'i law haearn dros Ewrop!" meddai Gwynfor.

"Ond dyma'r brain yn sgwrsio ac yn cynllwynio," aeth Sardar yn ei flaen. "Yn y diwedd, dyma nhw'n taro ar gynllun i drechu'r neidr. Roedd pwll nofio y tu allan i'r palas. Bob bore, roedd y frenhines yn mynd i'r pwll i nofio. Cyn mynd i mewn i'r dŵr, byddai hi'n tynnu ei breichled, ei chadwyn aur, ei modrwyau gemog a'u gadael wrth ymyl y pwll. Un bore, dyma un frân – y ceiliog – yn hedfan yno pan oedd y frenhines yn nofio. Glaniodd wrth ei gemau, codi breichled yn ei big a hedfan yn ôl at y goeden lle roedd y nyth.

"Roedd gwarchodwyr y palas yn cadw llygad ar yr ardd a'r pwll, wrth gwrs. Wrth weld y frân yn dwyn y trysor, dyma nhw'n rhedeg ar ei hôl. Roedd y frân yn ddigon cyfrwys i hedfan yn isel ac yn araf, gan oedi bob hyn a hyn i'r gwarchodwyr ei gweld yn glir a'i dilyn. Pan ddaeth at fôn y goeden, gollyngodd y frân y freichled i lawr y twll o dan y gwreiddyn. Cyrhaeddodd y gwarchodwr cyntaf y goeden a rhoi'i law yn y twll i gael gafael ar eiddo'r frenhines. Meddyliai am y wobr fyddai'n ei ddisgwyl yn y palas, mae'n siŵr. Ond yna, dyma'r neidr yn saethu allan o'r twll a'i ddychryn. Roedd o fewn dim i gael brathiad marwol! Cyrhaeddodd y gwarchodwyr eraill a chyn hir roedd y garddwyr yno gyda cheibiau a rhawiau. Pan gawson nhw afael yn y neidr, fuon nhw fawr o dro cyn ei lladd. Cafodd y frenhines ei breichled yn ôl, a chafodd y brain lonydd i ddodwy wyau yn eu nyth a magu cywion."

"Stori dda, Sardar," meddai Mei. "Dwi'n hoff iawn o'r straeon yma ti'n eu cyflwyno i ni. Maen nhw'n newydd, ac eto dwi'n teimlo eu bod nhw'n perthyn hefyd. Mae doethineb y brain yn amlwg yng ngwlad y Siciaid ac yma yng Nghymru."

"Ond mae un stori nad wyt ti wedi'i rhannu efo ni eto, Sardar," meddai Nel.

"Mae llawer mae'n siŵr," meddai Sardar. "Ond pa un wyt ti'n meddwl amdani, Nel?"

"Y bathodyn yn y tyrban – hwnnw mae Gordon John wedi'i ddwyn."

Gostyngodd llygaid Sardar wrth i bawb droi i edrych arno. Synhwyrodd Meirion Ddu y chwithdod.

"Gad iddo'i hadrodd yn ei amser ei hun, Nel," meddai Mei. "Dydi pob stori ddim mor hawdd ei deud."

"Na, mae'n bryd mae'n siŵr," meddai Sardar, gan eistedd ar wely o grug a chrawcwellt. "Rwyt ti, Mei, wedi colli dy fawd wrth weithio yn y chwarel."

"Do," meddai Mei, gan godi'i fraich chwith. "Fy mawd a fy llaw i gyd. Ond mae eraill wedi'i chael hi'n waeth na fi."

"Dau gan mlynedd yn ôl, mi wnaeth llawer o grefftwyr y Punjab golli'u bodiau," meddai Sardar.

"Chwarelwyr oeddan nhw?" gofynnodd Gwynfor. Roedd pob un ohonyn nhw wedi eistedd yn gylch o gwmpas Sardar erbyn hyn.

"Na, gwehyddion oedden nhw," meddai Sardar. "Trin gwŷdd i greu cotwm oedden nhw i gyd. Ers cannoedd o flynyddoedd, gwehyddion India oedd yn creu'r cotwm gorau yn y byd. Roedd yn ddeunydd ysgafn, braf i'w wisgo yn y gwledydd poeth. Roedd yn cael ei liwio yn batrymau hyfryd. Cotwm India oedd yn cael ei werthu drwy Asia ac Affrica. Ac yna dyna fo'n cyrraedd America ac Ewrop. Roedd chwarter masnach y byd yn cael ei wneud drwy India bryd hynny. Ond roedd gwledydd y gorllewin yn llygadu'r fasnach yma."

"Y neidr wrth fôn y goeden!" meddai Nel.

"Yr un fath yn union. Dyma fyddinoedd yr Iwnion Jac yn cyrraedd India ac yn ymosod ar y crefftwyr cotwm. Cafodd pob gwŷdd oedd yn gweu defnydd cotwm ei falu a'i losgi. Cafodd pob gwehydd ei ddal a thorrwyd ei ddau fawd gan y milwyr ..."

"Colli *dau* fawd!" llefodd Nel. "Ond doeddan nhw ddim yn medru cydio mewn dim byd wedyn!"

"Cafodd diwydiant oedd wedi cymryd canrifoedd i'w adeiladu ei chwalu mewn ychydig wythnosau. Mewn dim, roedd gwehyddion gorau'r byd yn llwgu, yn gorfod gadael eu tai i fegera ar y strydoedd. Roedd y gweithdai oedd wedi cynhyrchu'r holl gotwm hardd yn lludw.

"Dyma nhw'n adeiladu melinau cotwm yn Lloegr, yn yr ardaloedd tlawd a llwm – Manceinion, Oldham, Bolton – y trefi yna lle mae'r melinau anferth, y tai teras budur, drewllyd a miloedd o weithwyr yn treulio oriau hirion mewn adeiladau peryglus er mwyn ennill ychydig o sylltau ... a'm rhieni i yn eu mysg nhw erbyn hyn."

"A llechi Stiniog yn douau ar y cyfan!" meddai Gwynfor.

"Ydi, mae llechi Cymru yn rhan o'r stori. Mae cotwm yn cael ei ddyfu yn India ac yn y Punjab o hyd – ond mae'n cael ei gario dros y môr i gael ei drin. Mae gwerin India yn dioddef tlodi a newyn mawr o hyd ac o hyd. Gwerin gogledd Lloegr sy'n trin y cotwm rŵan. Mae gwerin Stiniog yn cynhyrchu'r llechi gorau yn y byd am y pris rhataf yn y byd. Ac mae'r bobl yn y tri lle yma yn byw mewn tai sâl, yn llawn afiechydon, yn cael damweiniau yn y gwaith, yn crafu ceiniogau i gael bwyd."

"Ond lle mae'r pres i gyd yn mynd 'ta?" gofynnodd Gwenda.

"'Dan ni'n ôl yng nghwmni'r neidr slei eto," meddai Mei. "Mae rhai yn adeiladu'r nyth, ond mae'r neidr yn dwyn yr wy."

"Ond dwyt ti byth wedi sôn am y bathodyn," meddai Nel.

"Brawd fy nhaid oedd piau'r bathodyn," eglurodd Sardar. "Gan fod llawer o'r Siciaid heb waith na chyflog, dim ond un dewis oedd gan lawer o'r bechgyn."

"A be oedd hwnnw?" gofynnodd Nel.

"Ymuno â'r fyddin."

"Y fyddin oedd wedi llosgi'r gweithdai a thorri bodiau'r crefftwyr?"

"Does gan bobl dlawd sy'n llwgu ddim dewis," meddai Sardar. "Gwneud gwaith y fyddin yn India roedden nhw i ddechrau. Ond yna daeth Rhyfel Byd. Y Rhyfel Mawr. Dyma ddegau o filoedd o Siciaid yn gadael eu gwlad i ymladd yn ffosydd Ffrainc ar draethau Gallipoli. Collodd llawer eu bywydau. Ond roedd brawd Taid yn un o'r rhai lwcus. Daeth yn ôl i Punjab.

"Ond doedd petha ddim yn dda yno rhwng y bobl gyffredin a byddin yr Iwnion Jac erbyn hynny. Wedi ymladd dros Brydain a thros y brenin, roedden nhw'n disgwyl cael gwell byd. Fel arall roedd hi. Roedd cyfarfodydd mawr. Gwerin Punjab yn galw am waith, bwyd a rheoli eu gwlad eu hunain."

"'Dan ni'n gwbod sut beth oedd hynny yn Stiniog yn iawn," meddai Mei. "Mi aeth chwe chant o hogiau'r ardal i'r Rhyfel Mawr. Ddaethon nhw adra i dai oedd wedi'u condemnio. Mi fuo 'na dros ddau gant achos o diptheria yma'n fuan wedyn."

"Dyma Michael O'Dwyer, Llywodraethwr Prydain yn y Punjab, yn gwahardd cyfarfodydd gwleidyddol," aeth Sardar ymlaen â'i stori. "Un diwrnod, 13 Ebrill 1919, yn nhre Amritsar, dyma ryw ddeg i bymtheg mil o bobl yn dod i ddathlu gŵyl grefyddol. Gŵyl y gwanwyn oedd hi. Daethon nhw i ardd fawr oedd wedi'i hamgylchynu gan waliau – Jallianwala Bagh."

"Doedd y fyddin dim yn deall yr iaith nac yn deall ystyr yr ŵyl. Wnaethon nhw ddim trafferthu gofyn chwaith. Aeth adran o filwyr â mashîn-gyns i'r ardd. Roedd hi gymaint â phedwar cae criced yn sownd yn ei gilydd. Heb rybudd, heb roi cyfle i neb adael, dyma nhw'n dechrau saethu. Lladdwyd dros 1,400 o'r Siciaid a dwn i ddim faint gafodd eu hanafu. Mewn deng munud, roedd y cyfan drosodd. Gardd o waed.

Doedd yna ddim brwydr oherwydd doedd gan y bobl ddaeth i ddathlu gŵyl y bywyd newydd ddim arfau. Yn eu mysg nhw, brawd Taid. Roedd yn gwisgo'r bathodyn ar y pryd. Y bathodyn roedd ei gatrawd wedi'i wisgo yn ffosydd Ffrainc."

Wedi clywed yr hanes, ymledodd cwmwl o dawelwch dros y criw yn y grug.

"O'Dwyer," meddai Nel yn y diwedd. "Wnaeth Gordon John ddim sôn am hwnnw pan ddeudodd o mai bradwyr oedd y Siciaid?"

"Dyna ti," atebodd Sardar. "Y llynedd, wedi blynyddoedd o gynddaredd, wrth feddwl am y gyflafan, mi wnaeth Udham Singh ddod yr holl ffordd i Lundain a saethu Michael O'Dwyer. Cafodd ei grogi yn Llundain. Ond adref yn y Punjab, maen nhw'n deall yr hanes."

"Nid stori bapur newydd ydi hanes," meddai Mei. "Y ffordd sy'n mynd â ti at dy hanes ydi'r ffordd sy'n mynd â ti i'r dyfodol."

"Ci-aw! Ci-aw!"

"Ci-aw! Ci-aw!"

Gallent glywed pâr o frain yn galw o Garreg y Frân.

"Rhaid inni gael enw ar wraig Arthur," meddai Gwenda.

* * *

"Siw! Siw! Paid â rhedeg i'r ffordd!"

Roedd Nel, Sardar a Siw ar yr allt o dan Tan y Clogwyn ac roedd y Jac Russell bach wedi adnabod Brei Drws Nesaf yn cyrraedd adref ar y bỳs. Wrth iddo groesi'r ffordd, roedd yr ast fach wedi rasio ato i'w groesawu. Daliodd Brei hi a'i chodi i ddiogelwch ei freichiau.

"Mae'r lorïau yma'n dal i wibio drwy'r dref," meddai Nel wrth dderbyn Siw ganddo.

"Ddim yn hir eto, Nel. Mae tua dwy fil o luniau wedi cyrraedd y stordai erbyn hyn. Maen nhw'n deud bod y rhai ola'n cyrraedd dydd Mawrth nesa."

"Y rhai ola? Fydd dy waith di ar ben wedyn?"

"Na, mae angen mynd yno bob dydd i gadw golwg ar y graig a'r waliau, mae'n debyg."

"Llond y mynydd o luniau. Pwy fasai'n meddwl!" meddai Sardar.

"O – nid dim ond lluniau, dallta di. Wyt ti'n gwbod be gyrhaeddodd heddiw? Chwe sêff werdd anferth. Dim label, dim gwaith papur, a dynion mewn ofyrôls brown yn deud wrthon ni am eu rhoi nhw ym mhen pellaf stordy Rhif 2. Mae'r lle'n llawn cyfrinachau."

"Chwe sêff?" meddai Sardar. "Be gebyst fyddai'n cael eu cadw mewn pethau felly?"

Roedden nhw wedi cyrraedd pen yr allt. Roedd y cwrcath du ar ei orsedd o dan y llwyn.

Chwythodd y gath ar yr ast, a dangos ei ddannedd cnoi.

Cofiodd Sardar am chwe sêff Dei Siop Cwm.

Rhan 3

DRAMA

— Mawrth 1943 —

Pennod 1

Sadwrn, 6 Mawrth 1943

Daeth genod Manod allan o'r Forum ar fore tywyll. Edrychodd Nel i fyny ar Manod Mawr a gweld bod eira ar y copa o hyd. Roedd dipyn o drwch ar y tomenni rwbel isaf, hyd yn oed.

"Wnaethoch chi fwynhau'r ffilm, genod?" gofynnodd Nita wrth iddyn nhw groesi parc y sgwâr ar eu ffordd i'r Stryd Fawr.

"O! Yn dydi Madeleine Carroll yn bishyn!" meddai Beti.

"A Bob Hope yn rêl smŵddi, tydi," meddai Gwenda.

"Braf cael rhwbath i neud inni chwerthin," cytunodd Nel.

"Be sy gan yr Iancs yma am y merched blond, dwch?" gofynnodd Beti. Y ffilm roedd y genod newydd ei gweld oedd *My Favourite Blonde*.

"Wel, mae wedi newid ffasiwn genod Stiniog, beth bynnag," meddai Nita. "Ers pan ddaeth milwyr yr Iancs i Flaenau Dolwyddelan y llynedd mae merched y dre yma i gyd isio lliwio'u gwalltiau'n blond!"

"Drychwch ar yr hogiau bach yn chwarae eroplêns," meddai Gwenda.

Ar y parc, roedd chwech neu saith o fechgyn a'u dwylo ar led fel awyrennau, yn gwneud sŵn peiriannau'n rhuo a bomiau'n ffrwydro rhwng cennin Pedr y gwlâu blodau.

"Wedi gwirioni ar y ffilm fach gynta ar y Bomber Command y maen nhw," meddai Beti.

Ffilm newyddion a ddangoswyd yn y Forum am awyrennau Lancaster ar eu cyrchoedd awyr uwch dinasoedd yr Almaen oedd honno. Roedd echel y rhyfel wedi troi. Daeth y Blits ar drefi a phorthladdoedd Prydain i ben ers rhai misoedd. Awyrennau o Brydain oedd yn hedfan i fomio'r Almaen bellach.

"Welsoch chi'r holl fomiau yna'n disgyn o fol yr awyren fel penbyliaid yn cael eu gollwng o botyn jam?" gofynnodd Gwenda.

"A'r tân gwyllt yn y nos! Bron iawn nad oedd hi'n sioe ddel, yndê?" meddai Beti.

"Welsoch chi'r bomiau yna'n ffrwydro yn bell, bell i lawr? Roeddan nhw fel rhyw flodau mawr llwyd yn agor ar y ddaear."

"Pell oeddan nhw," meddai Nel. "Dyna pam roeddan nhw'n ddel."

Yn y ffilm ar ei hyd, roedd y camerâu yn yr awyrennau a'r meysydd awyr. Mapiau mawr a chroesau arnyn nhw. Gweithwyr yn llwytho'r awyrennau. Peilotiaid a chriwiau llawen yn codi bawd a ffarwelio. Awyrennau'n codi i'r awyr. Nos a goleuadau. Tân gwyllt a blodau'n agor.

"Chawson ni ddim gweld y rwbel ar y strydoedd a'r bobol wedi brifo y tro yma," meddai Nel, gan gofio'r ffilmiau o'r Blits yn Llundain.

"Ydi hyn yn golygu bod ein dinasoedd ni yn ddiogel bellach?" gofynnodd Beti. "Fydd yr ifaciwîs yn cael mynd yn ôl adra?"

"Mae llawer o waith clirio ac ailadeiladu, mae'n siŵr," meddai Gwenda. "Mae yna filoedd o dai wedi'u chwalu."

"Yn doedd y miwsig yn gyffrous yn y ffilm awyrennau?" meddai Beti. "Y drymiau a'r offerynnau pres yna! A rhuo'r peiriannau, a'r propelars yn troi. Roedd o'n ddigon i neud i'ch gwaed chi ferwi."

"Ddim rhyfedd fod yr hogiau bach yma wedi gwirioni," meddai Gwenda, gan ddilyn yr awyrennau 'breichiau' yn mynd drwy'u pethau.

"Dydyn nhw ddim i gyd yn hogiau bach, chwaith," meddai Nel. "Ylwch pwy sy'n eu canol nhw? Gordon John a Jac!"

"Hei, Gordon John!" gwaeddodd Nita. "Ga i bas i Harlech i weld Nain yn dy awyren di!"

* * *

Ar argae Llyn Bowydd y cyfarfu'r ddau. Mei oedd yno gyntaf, wedi dod o gyfeiriad Rhiw-bach, ac roedd wedi gwylio ffurf hogyn y tyrban yn cerdded o bell ar hyd ffordd haearn bach y mynydd. Roedd hwnnw wedi dringo'r llwybr o Flaenau Ffestiniog gyda godre'r tomenni rwbel. Roedd y bachgen wedi lledu a sgwario, meddyliodd Mei wrth ei wylio'n brasgamu tuag ato. Roedd yn dalach na hogiau o'i oed hefyd.

"Welodd rhywun ti?" holodd Meirion Ddu.

"Naddo," atebodd Sardar. "Mi ddois i rownd at Fryn Egryn o gyfeiriad Ffordd Manod. Welodd neb fi."

"Ac rwyt ti'n dal yn hollol bendant dy fod ti isio neud hyn?"

"Ydw."

"Reit – dyma hi dy restr siopa di a dyma iti bunt at y costau. Gei di bopeth gan Mr Kahn yn Neuadd y Farchnad. Rhaff gref – deg llath ar hugain ohoni, i gyrraedd y gwaelod, dallta. Chwe channwyll ar gyfer gweithio i lawr yno a dau fatri bach sbâr i'r lampau talcen. Ydi hynny gen ti?"

"Dim problem."

"Iawn. Wela i di yn fa'ma yr un amser bnawn Sul nesa. Paid â gadael i neb dy weld di eto."

Trodd Meirion ar ei sawdl, codi'r sach ysgwyddau dros ei ben a cherdded yn ôl i'r glaw mân.

* * *

Cerddodd Meirion Ddu i fyny'r rhos at ddrws y cwt powdwr uwch Bwlch Carreg y Frân. Roedd ôl ei draed yn dywyll yn yr eira gan nad oedd llwybr ar y darn hwnnw o'r mynydd. Cwt unig nad oedd fawr neb yn mynd ar ei gyfyl am resymau amlwg oedd y cwt powdwr.

Cyrhaeddodd y drws fel yr oedd Wil Cae Clyd yn dod allan gyda chasgen bum pwys ar hugain o bowdwr du yn ei freichiau. Roedd Mei wedi cadw llygad ar y drws ers tro ac wedi amseru'i gamau fel ei fod yn digwydd cyrraedd yno ar yr union foment honno.

"Wil!" meddai. "Am roi clec neu ddwy i gadw'n gynnes yn y tywydd yma wyt ti?"

"Dow, sumai, Mei? Ti'n cael dy wres?"

"Wedi mynd drwy flociau'n o hawdd yn ddiweddar, Wil. Angen rhyw binsiad o bowdwr gen ti i chwalu rhai o'r meini mawr yn y domen yn ddarnau llai y medra i eu cario a'u trin."

Daliodd Mei ei dun metel gwag o flaen Wil.

Edrychodd Wil o'i gwmpas. Doedd neb yn y golwg.

"Ti'n mynd drwy dipyn o bowdwr y dyddiau yma, Mei. Ti'n gwbod na ddylwn i …"

"Mwy o gostau yn y gaea, yn does, Wil? Fydda i'n iawn ar ôl hwn."

"Hwda 'ta. A dos o'r golwg reit sydyn."

Agorodd Wil y gasgen a llenwi'r tun i Mei. Bu'n rhaid i Mei roi'i dun rhwng ei law dde a brest ei gôt er mwyn ei ddal yn llonydd ar gyfer Wil. Daliai'i fraich chwith wrth ei ochr, gan roi ysgytwad iddi bob hyn a hyn.

"Y rhew'n cnoi'r hen fraich yna, Mei?"

"Arwydd ei bod hi am ddadmer ydi hynny, gobeithio."

"Cym ofal."

"Oes gen ti ddim rhyw chwe taniwr ga i hefyd, a rolsan o ffiws?"

Ochneidiodd Wil, trodd yn ei ôl i'r cwt a dod â'r nwyddau i Meirion. Yna, clodd y cwt powdwr yn ofalus.

Diolchodd Mei a cherdded yn ei ôl i lawr y rhos i lwybr y ffordd haearn am Rhiw-bach. Rownd tro yn y ffordd, uwch ben hen dwll chwarel roedd Sardar yn disgwyl amdano.

"Gest ti bopeth ganddo?" gofynnodd y llanc.

"Do." Daliodd Mei i gerdded yn ei flaen.

"Oes gennym ni ddigon rŵan?" Roedd Sardar yn camu'n fras er mwyn cadw wrth ei ochr.

"Oes."

"Pryd 'ta?"

"Dechra'r wythnos."

"Gorau oll. Yn ôl llythyr Mam a Dad, mi fydda i'n cael

mynd atyn nhw cyn gynted ag y byddan nhw wedi symud i dŷ ym Manceinion."

"Ddim yn hir iti eto, felly," meddai Mei. "Awn ni drwy'r rhestr rŵan. Mi a' i i nôl rhai petha o Siop Cwm. Cer dithau i nôl rhai o siopau'r dre. Fydd yna lai yn busnesu wedyn."

Cerddodd y ddau yn eu blaenau heb un gair arall nes cyrraedd y tŷ teras yn Rhiw-bach.

"Ci-aw! Ci-aw!"

Edrychodd Sardar i'r awyr a synhwyro bod yr alwad yn ysgafnach nag un Arthur. Roedd yn iawn. Cyw Arthur a Gwenhwyfar oedd y frân goesgoch oedd yn cadw cwmni iddyn nhw ar lwybr y chwarel.

Roedd y pâr wedi hen gartrefu ar Garreg y Frân bellach ond mi gawson nhw un cyw o'r nyth y llynedd. Hwnnw oedd deryn Meirion Ddu erbyn hyn.

* * *

Yn gynnar y prynhawn hwnnw, roedd Sardar yn siop bob dim Mr Kahn yn Neuadd y Farchnad yr ochr draw i'r eglwys yn y Blaenau.

"Pnawn da, Mr Kahn," meddai'r llanc yn gwrtais wrth y ffoadur.

"A! Prynhawn da, Sardar Singh Basra," meddai Mr Kahn gyda gwên. "A sut mae Miss Elen a Miss Marian yn cadw?"

"Yn dda iawn, diolch."

"Ac maen nhw'n lwcus iawn o gael llanc fel ti i redeg ar neges drostyn nhw! Be alla i gynnig iti heddiw?"

"Deg llath ar hugain o raff, os gwelwch yn dda."

"O! Rhaff, ie? Aros di rŵan. Mae gen i beth gweddol ysgafn a thenau fel hyn. Neu 'chydig tewach. Wedyn mae hwn. Ond mae hwn yn rhy gryf, mae'n siŵr ..."

"Na, mi fydd yr un cryf yn hollol iawn. I'r dim, Mr Kahn."

"O, wel. Os wyt ti'n siŵr. Os wyt ti'n siŵr, Sardar. Hwn amdani felly. Reit, ffwrdd â ni."

Mesurodd Mr Kahn lathen ar draws ei frest o un llaw â'r fraich agored i'r llaw arall, a'r fraich honno yn llydan ar agor hefyd.

"Un ... Rwyt ti'n gyfarwydd â'r gair yma am fesur o ben bys llaw chwith i ben bys llaw dde wyt ti, Sardar?"

"Pa air, Mr Kahn?"

"O, gair Cymraeg da. Mae dy Gymraeg di yn dda, Sardar. Arbennig iawn. Ond dyma air newydd iti efallai. Rydw i yma ers llawer o flynyddoedd. Llawer mwy na thi. Felly rydw i wedi dysgu mwy o eiriau. Rhychwant. Dyna iti'r gair am y mesur yna. Rhychwant dyn! Gair da, yndê – ac mae rhychwant dyn yn llathen ..."

"Ydi, mae o'n air da, Mr Kahn. Deg rhychwant ar hugain, os gwelwch yn dda." Tra aeth Mr Khan i ymestyn am y rhaff, ysgrifennodd Sardar y gair 'rhychwant' yn ei lyfr bach.

"Ti'n dal i gofnodi a dysgu, Sardar? Da iawn ti. O ie. Dau ... Tri ... Wyddost ti fod rhaff yn air diddorol hefyd, Sardar?"

"Ydi o?"

"O, ydi! O ydi! Rwyt ti'n medru cael rhaff fel hyn ar gyfer ... Ar gyfer beth mae hwn hefyd?"

"Ar gyfer ... ar gyfer ... rhaffu tŷ gwydr newydd Miss Marian rhag i wynt mis Mawrth yma ei chwalu. Eisiau ei glymu wrth fôn y goeden."

"O ie. Ie, wrth gwrs. Ydi, mae rhaff yn mynd â ni at raffu tŷ gwydr. Ond wedyn mae gen ti 'rhaffu geiriau'. Mae hwnnw yn un da, yn tydi, Sardar? Mae rhai pobol yn medru rhaffu geiriau fel petaen nhw'n rhaffu nionod. Ac wedyn mae gen ti 'rhaffu celwyddau' ... Lle oeddwn i arni, dywed?"

"Pedwar rhychwant sydd nesaf, Mr Kahn."

"O ie. Pedwar ... pump ... chwech ... Weli di'r pentwr rhaff yma dwi wedi'i fesur, Sardar? Beth am i ti ddechrau ei wneud yn gylchau taclus. Mi fyddwn ni'n gynt fel yna. Saith ... wyth ..."

Cododd Sardar y rhaff oedd ar lawr a chreu dolennau nes bod olwyn daclus o raff yn dechrau ymddangos yn ei ddwylo.

Canodd cloch y siop haearnydd.

Rhoddodd Mr Kahn y gorau i fesur a chyfri a throi i edrych i gyfeiriad y drws. Gwelodd Sardar fod gwên lydan yn ymledu dros ei wyneb.

"A! Miss Nel Manod! Fydda i efo ti mewn chwinciad llygad llo. Dim ond gorffen yr archeb yma i Sardar. Wyt ti'n hoffi'r dywediad yna, Sardar? Chwinciad llygad llo! Ha!"

"Ydw. Ydw wir," meddai'r llanc rhwng ei ddannedd gan droi yn ôl at y gwaith o ddolennu'r rhaff.

"Sut wyt ti, Sardar?" gofynnodd Nel, gan ddod i sefyll yn nes. "Heb dy weld di hyd y dre yma ers tro."

"Ges i gip arnat ti yn yr ysgol, ddoe," meddai Sardar.

"Do, ella," meddai Nel. "Doeddat ti ddim isio dod i'r Aelwyd neithiwr?"

"Na. Roeddwn i eisiau ateb llythyr Mam a Dad."

"O! Gest ti ryw newydd ganddyn nhw?"

"Fydda i'n cael mynd atyn nhw cyn bo hir rŵan."

"Falch drosot ti, Sardar. Dwi'n siŵr dy fod ti'n edrych

ymlaen o ddifri i fod efo nhw eto."

"Wel, ydi wrth gwrs," meddai Mr Kahn, oedd wedi gorffen ei gyfri bellach. "Ond byddwn ni yn gweld dy golli di, Sardar bach, byddwn wir. Tyrd â hwn at y fainc a gad i mi roi llinyn i'w ddal at ei gilydd. Unrhyw beth arall?"

"Chwe channwyll, os gwelwch chi'n dda, Mr Kahn."

"Dim problem."

"Dach chi angen canhwyllau? Ro'n i'n meddwl fod yna drydan gennych chi yn Hafanedd," meddai Nel.

"Oes, oes," meddai Sardar. "Ond dydi Miss Marian ddim yn hoffi imi gynnau'r golau yn y llofft. Trydan yn costio. Ti'n gwybod fel y mae hi."

"Ydw, wrth gwrs," meddai Nel, ychydig yn betrus. "A thithau isio gorffen sgwennu dy lythyr, wrth gwrs."

"Pa lythyr? O ie ..."

"Ai dyna'r cyfan?" gofynnodd Mr Kahn.

"Dau fatri bychan hefyd, os gwelwch chi'n dda."

"I arbed trydan eto?" holodd Nel â'i thafod yn ei boch. Gweithiodd Mr Kahn y swm oedd yn ddyledus ar ddarn o bapur llwyd a'i roi i Sardar.

"Ei roi yn y llyfr i Hafanedd, ie?" gofynnodd y siopwr gan estyn am ei lyfr cownt misol.

"Na, na – mi wna i dalu am y rhain fy hun," meddai Sardar, gan chwilio drwy'i bocedi am bunt Meirion Ddu yn ffwndrus.

Talodd a throdd Mr Kahn i roi ei sylw i Nel.

"Aros amdana i, Sardar. Fydda i ddim eiliad."

"Chwinciad llygad llo!" meddai Mr Kahn.

Cafodd Nel y goes brwsh roedd hi ei hangen a thoc roedd

y ddau ohonyn nhw'n cerdded ar hyd Stryd yr Eglwys am y Stryd Fawr.

"Oes gen ti awydd mynd i weld Meirion Ddu pnawn yma," gofynnodd Nel, "i weld sut mae o'n neud yn y tywydd oer yma?"

"O, mae o wedi hen arfer, wyddost ti," meddai Sardar. "Mi all fyw drwy'r gaeaf i fyny yn fan'no yn well na'r un afr fynydd."

"Ond tydan ni ddim wedi bod heibio fo ers talwm."

"Na, dwi'n gwybod. Ond ti'n gwybod be ddwedodd dy fam – mae'r llefydd yna'n beryglus."

"Gawn ni fynd i weld Mei, debyg iawn! Tybed os ydi Cyw Arthur wedi goroesi'r tywydd oer yma?"

"O, ydi, mae o'n iawn, wsti."

Rhoddodd Nel dro i'w phen a thaflu edrychiad sydyn arno.

"Ti'n swnio'n bendant iawn. Sut gwyddost ti?"

"Gwybod bod yr adar yna'n wydn rydw i," atebodd Sardar.

"Pam na ddoi di i'r Aelwyd heno? 'Dan ni wedi dechra ar ddrama. 'Dan ni'n cystadlu efo hi yng nghystadleuaeth y sir yn Nolgellau ddechra Mai. Mi fydd yn hwyl."

"Bydd, mae'n siŵr, Nel. Ond efallai na fydda ..."

" ... na fyddi di yma? Ia siŵr. Wel, dyma ti – Hafanedd. Wyt ti isio help i glymu'r tŷ gwydr?"

"O na, 'dan ni'n iawn, diolch. Wyddost ti sut mae Miss Marian. Rhaid iddi hi gael dweud sut mae pethau i fod."

Oedodd Nel wrth y giât yn edrych ar Sardar yn cerdded y llwybr drwy'r ardd. Yna aeth am adref.

Pennod 2

Edrychodd y cwrcath du drwy lygaid cul ar Nel Manod wrth i'r ferch gerdded at giât gefn 9 Tan y Clogwyn.

"Ia, dwi'n amheus ohonot tithau hefyd," meddai Nel wrtho.

Roedd Brei yn y cefnau yn trwsio pyncjar yn olwyn ôl ei feic a chododd ei olygon wrth glywed y cyfarchiad.

"Na! Ddim ti, Brei!" chwarddodd Nel. "Siarad efo'r cwrcath slei yna roeddwn i. Ti'n ôl o'r gwaith yn gynnar."

"Fawr ddim yn digwydd yno erbyn hyn, Nel. Popeth yn ei le. Systemau awyr i gyd yn gweithio'n iawn. Dim trafferthion. Dwi ddim yn gorfod mynd yno ar foreau Sadwrn bellach, hyd yn oed."

"Reit. Dwi am fynd â Siw am dro bach cyn cinio."

"Am y mynydd yr ei di? Ddaeth dy ffrind i lawr y ffordd honno rhyw hanner awr yn ôl."

"Pwy?"

"Dy ffrind di. Wyddost ti – Sardar."

Trodd Nel hynny yn ei meddwl wrth agor y drws cefn a galw ar Siw.

* * *

Wrth basio Hafanedd ar y ffordd i'r Aelwyd y noson honno, sylwodd Nel nad oedd y tŷ gwydr byth wedi cael ei raffu wrth y goeden. Roedd Mawrth wedi dod i mewn fel llew y flwyddyn honno, meddyliodd. Stormydd eira ar y mynyddoedd a gwynt nerthol. Roedd Brei yn dweud y gallen nhw ddisgwyl tywydd tecach o hynny ymlaen.

"Mi fydd y mis yma'n mynd allan fel oen, gei di weld."

Adeg ryfedd i feddwl am raffu'r tŷ gwydr yn ddiogel, meddyliodd.

Ar ôl rhyw awr o wahanol chwaraeon yn yr Aelwyd, galwodd Richard Jones y criw ynghyd i drafod y ddrama.

"Rydw i wedi cael sgript newydd sbon," meddai'r arweinydd. "Cadeirydd yr Aelwyd sydd wedi'i sgwennu. Rydach chi i gyd yn cofio J. Ellis Williams adeg agoriad yr adeilad yma ryw dair blynedd yn ôl, yn dydach. Mae o i ffwrdd ar waith dysgu yng ngwersylloedd y fyddin rŵan, ond mi neilltuodd amser i sgwennu ar eich cyfer chi. Mae o'n ddramodydd profiadol – wedi ennill yn y Genedlaethol. A fo wnaeth y sgript i'r *Chwarelwr*, y ffilm Gymraeg gynta erioed a gafodd ei ffilmio yma ym Mlaenau Ffestiniog rai blynyddoedd yn ôl. Drama-basiant ydi hon – ond un fer. I'r dim i griw mawr ohonoch chi gymryd rhan."

"Drama am be ydi hi?" holodd Nita.

"Drama dditectif ydi hi," eglurodd Richard Jones. "Ond mae'n mynd â ni yn ôl i gyfnod hanesyddol."

"Felly mi fydd gennym ni i gyd wisgoedd hanesyddol!" meddai Beti.

"Mae'r cyfan yn digwydd yng nghastell Dolwyddelan yn ôl yn nyddiau Llywelyn Fawr ... Ydych chi i gyd wedi bod yno, yn do? Gawson ni drip yr ha' diwetha ar y trên drwy'r twnnel a thaith gerdded o orsaf Dolwyddelan wedyn."

"Do, do ..." Roedd y criw i gyd yn cofio taith yr Aelwyd.

"Hen fynach o Abaty Aberconwy ydi'r 'ditectif' yn y ddrama. Mae llofruddiaeth yn y castell. Mae bardd y tywysog wedi'i ladd. Pwy wnaeth? Pam a sut? Mae gwledd fawr yng nghastell Dolwyddelan ac mae nifer o dywysogion Cymru yno. Mae rhai Normaniaid yno hefyd. Mae'n gyfnod o heddwch, ond mi all y llofruddiaeth beryglu'r heddwch ..."

"Pwy fydd yn actio'r ditectif?"

"Rydw i am ofyn i Gwynfor ddarllen y rhan honno. Idwal, ti ydi'r tala – gei di fod yn Llywelyn Fawr. Nita, ti ydi Siwan, gwraig Llywelyn. Sali – ti yw Malan, meistres y gegin. A Delyth, un o forynion y castell. Gwenda a Beti, Gordon John a Jac, rydych chi gyda'r Normaniaid. A Nel ... Nel, ti ydi Angharad!"

"A phwy ydi Angharad?" gofynnodd Nel.

"Gei di weld yn y man," meddai Richard Jones. "Rwyt ti'n torri'r gyfraith ond rwyt ti'n arwres ..."

"Sut goblyn mae peth felly'n bod?" holodd Gwynfor.

"Cewch weld, cewch weld. Reit, yr olygfa gynta ydi'r wledd. Gwledd i ddathlu'r heddwch ydi hon. Mae Llywelyn Fawr a'r tywysogion eraill a'r Normaniaid wedi dod i gytundeb ar ôl cyfnod o heddwch. Mae'r bardd yn canu cân o fawl i'r heddwch ..."

Roedd Richard Jones a rhai cynorthwywyr eraill wrthi'n gosod y cast yn eu lle yn yr olygfa.

"Ond wedyn mae Hywel Cynwal, bardd llys Llywelyn yn Nolwyddelan, yn flin. Y bardd fel arfer sy'n eistedd yn y gadair ar law dde'r tywysog. Heb ddeall y drefn, mae un o'r Normaniaid wedi bachu'r gadair honno. Gordon John – ti ydi hwnnw. Mae swyddogion y llys wedi dweud wrth Hywel am gadw'n dawel ac eistedd yn is i lawr y bwrdd. Mae pawb yn nerfus ac mae'r heddwch yn fregus ..."

Mae'r criw yn darllen drwy'r rhan honno o'r ddrama.

"Diolch i chi," meddai Richard. "Lleisiau da a chymeriadu da. Mi fydd hwn yn berfformiad a hanner! Awn ni ymlaen i dudalen saith ichi gael rhediad y stori i ddechrau. Sali, dyma ran i tithau. Mae Malan, meistres y gegin, yn rhedeg i mewn i'r neuadd ac yn cyhoeddi ei neges yn gynhyrfus. Darllen o dop tudalen saith, os gweli di'n dda."

MALAN: Mae ffoaduriaid wedi dod drwy borth y castell! Mae
    rhai wedi dringo'r grisiau yma ...
MORWYNION: *(yn sgrechian)* Ffoaduriaid!
MALAN: Wedi dianc o Bowys Fadog. Normaniaid wedi llosgi
    eu tai ...
NORMAN: Celwydd! Rydym ni yma yn dathlu heddwch yn y
    castell!

"Rydych chi'n gweld," meddai Richard Jones, "mae ffoaduriaid yn golygu bod gormes yn rhywle. Mae'n agor hen greithiau. Mi all olygu rhyfel arall, hyd yn oed. Mae'r neuadd yn gwagio, mae pawb yn rhuthro i fuarth y castell i holi'r ffoaduriaid. Diwedd yr olygfa. Tywyllwch. Yn y tywyllwch, clywir sgrech annaearol. Sgrech dyn."

"Beth sy wedi digwydd?" holodd Idwal.

"Llofruddiaeth. Ar ddechrau'r ail olygfa, rydym yn gweld y Norman oedd yn eistedd ar law dde'r tywysog gyda dagr yn ei galon. Mae gwaed ar ei ddillad. Mae'n farw. Mae'r morynion yn rhoi gorchudd o liain drosto. Daw gweision y llys i gario'r gadair allan. Yna mae'r mynach yn dod i ganol y llwyfan. Ewch yn eich blaenau!"

MYNACH: Mae Llywelyn wedi gofyn i mi ymchwilio i'r achos. Yn fy mhrofiad i, y tri chymhelliad cryfaf dros lofruddiaeth yw elw, ofn a dialedd. Gadewch inni ddechrau gyda dial. Mae llawer yn y llys hwn eisiau dial ar y Norman. Hywel Cynwal y bardd?

HYWEL: Y fi!

MYNACH: Rwyt yn ŵr pwysig yng ngolwg y llys. Ond dygodd y Norman dy gadair …

HYWEL: Twt! Be ydi cadair? Mae'n ddigon hawdd imi gael un arall …

MYNACH: Wyt ti'n siŵr? Rwyt ti'n heneiddio. Ac mae llawer o feirdd ifanc yn y wlad …

"Ac felly ymlaen," meddai'r cynhyrchydd. "Tywysog Powys sy'n cael ei amau nesaf. Ofn. Canol tudalen un ar ddeg …"

TYWYSOG POWYS: Ofn? Beth sydd gen i i'w ofni?

MYNACH: Mi glywaist ti'r newydd. Mae Normaniaid wedi ymosod ar ran o dy dalaith di. Mae ffoaduriaid wedi cyrraedd Dolwyddelan.

TYWYSOG POWYS: Rwy'n ddigon cryf i'w trechu mewn brwydr. Dydw i ddim angen lladd un ohonyn nhw mewn gwledd heddwch …

"Rydych chi'n gweld sut mae'r uwd yn twchu?" meddai Richard Jones. "Un arall o'r Normaniaid nesaf. Top tudalen deuddeg."

MYNACH: Gormeswr wyt ti. Rwyt ti wedi dod i'n gwlad a
dwyn tiroedd a gwartheg a thrysorau lawer. Does gen ti
ddim hawl i fod yma ...
NORMAN: Mae fy nghleddyf yn dweud fod gen i.
MYNACH: Ond rwyt ti'n ymosod ar dy gyd-Normaniaid
hefyd. Rwyt ti'n dwyn oddi ar bawb. Drwy ladd y Norman
hwn yn Nolwyddelan, rwyt ti'n taflu'r bai ar y Cymry ac
yna mi ei yn ôl adref a dwyn castell a chyfoeth dy
gymydog. Rwyt ti ar dy elw oherwydd y llofruddiaeth
hon.
NORMAN: I beth wnawn i hynny? Mae'n haws dwyn oddi ar y
Cymry ...

"Digon da," meddai Richard Jones. "Mi allwn ni gyhuddo
pawb fesul un. Ond beth am y ffoaduriaid? Nel – dyma dy ran
di. Golygfa canol tudalen pymtheg. Angharad ydi enw dy
gymeriad ..."

MYNACH: Angharad, rwyt ti ar ffo. Beth yw dy hanes?
ANGHARAD: Merch gyffredin ydw i. Roeddwn i'n byw mewn
pentref bychan wrth Glawdd Offa. Daeth y Normaniaid a
lladd a llosgi. Gollais i ddau frawd a fy rhieni. Ffoadur
rhyfel ydw i.
MYNACH: A! Rwyt ti wedi dioddef. Mi allet ti fod eisiau dial ar
y Norman, heb amheuaeth. Ac roeddet ti'n un a redodd i
fyny'r grisiau o'r buarth i gyfeiriad y neuadd yma ...

"Digon!" meddai Richard Jones.

"Ond does dim mwy o dudalennau," sylwodd Nel. "Dydi'r ddrama ddim yn gorffen yn fan'na, ydi hi?"

"Rydw i wedi cuddio'r tair tudalen olaf dros dro," meddai'r arweinydd. "Drama ddirgelwch ydi ac felly dydw i ddim eisiau ichi ddatrys y cyfan yn rhy gynnar! Rhaid cadw eich diddordeb! Digon am heno – bydd eisiau inni ymarfer o ddifri rŵan. Rydan ni am gyflwyno'r ddrama yma yng nghanolfan yr Urdd ymhen tair wythnos fel ein bod yn cael dipyn o brofiad o berfformio cyn y gystadleuaeth yn Nolgellau."

Daeth y cynorthwywyr eraill ymlaen wedyn i drafod gwisgoedd a phrops a chodi dipyn o hwyl theatrig ymysg y criw.

"Ymarfer eto am bump nos Lun, cofiwch!" galwodd Richard Jones ar eu holau wrth iddyn nhw heidio am y drws i fynd adref.

* * *

Cariodd Sardar sach yn ei law ar lwybr y mynydd y prynhawn Sul hwnnw.

Yn ôl y trefniant, roedd Meirion yn disgwyl amdano wrth argae Llyn Bowydd.

"Gest ti bopeth?" gofynnodd Mei.

"Do," atebodd Sardar.

"Dilyn fi."

Arweiniodd Mei y ffordd ar hyd y cledrau heibio'r chwareli ac yn ôl i bentref Rhiw-bach. Ni fu fawr o eiriau rhyngddyn nhw. Aeth ar ei union at gwt y powdwr du wrth ymyl troed y domen rwbel. Safodd wrth y drws a dal ei law agored at Sardar.

Tynnodd Sardar y rhaff o'r sach, yna'r canhwyllau a'r ddau fatri.

Rhoddodd Mei y cyfan drwy ddrws isel y cwt powdwr.

"Atgofion melys gen ti am y cwt yma?" gofynnodd yn ddireidus.

"Bell yn ôl erbyn hyn," meddai Sardar.

Gwelodd fod rhaff Mei yno eisoes. Pedair lamp dalcen a batris sbâr. Tri thun gyda chaeadau arnyn nhw. Chwe thaniwr a thorch o weiren ffiws.

"Dydan ni ddim yn gall yn meddwl am beth fel hyn," meddai Mei a rhoi chwerthiniad swta o waelod ei fol.

"Rydan ni wedi gwneud y gwaith meddwl," meddai Sardar, "fisoedd yn ôl. Dim ond ei weithredu o sydd eisiau rŵan."

"Os wyt ti'n siŵr."

"Ac mi fydd hi'n dywyll?"

"Does yna ddim lleuad heno. Gewin main fydd yna nos Fawrth. Dim golau gwerth sôn amdano."

"Ac mi fydd popeth yn saff yn y cwt yma?"

"Does yna neb arall yn cofio dim am hwn."

"Dyna fo felly."

"Tyrd yma'n syth o'r ysgol nos Fawrth. Mae'r chwarelwyr a gweithwyr y galeri yn gadael am hanner awr wedi pedwar y dyddiau yma."

* * *

Clywai Sardar ryw gyffro yn corddi y tu mewn iddo gyda phob cam a roddai ar y llwybr i lawr o Rhiw-bach. Teimlai'n fwy penderfynol gyda phob cam hefyd.

"Ti wedi mynd yn dderyn diarth."

Clywodd y llais yn dod o'r tu mewn i'r hen weithdai lefel uchaf Chwarel y Lord wrth iddo basio, â'i feddwl ymhell. Trodd i wynebu Nel a Siw. Ni symudodd hi o ffrâm y drws.

"Mae'n braf cael fy nghwmni fy hun weithiau," atebodd Sardar mewn sbel.

"Fuest ti ddim i fyny yn gweld neb yn y topiau yna 'ta?"

"N ... Naddo."

"Ti ddim yn swnio fel petaet ti'n deud y gwir wrtha i y dyddiau yma, Sardar."

"Ydw, siŵr. Pam na fyddwn i?"

"Dydan ni ddim fel petaen ni'n dallt ein gilydd, yn nac ydan?"

"Be sy 'na i'w ddallt?"

"Be wyt ti'n ei neud efo'r sach wag yna?"

"Mynd ... mynd i hel cerrig cwarts oedd fy mwriad i. Ond doedd gen i ddim amynedd ..."

"Ti'n gweld? Ac mi rwyt ti'n fwy blin am ryw reswm."

"Blin? Nac ydw, siŵr! Dwi'n mynd ..."

"Ia, dos 'ta."

Difarodd ddweud y geiriau yn syth. Gwyliodd ei gefn a'i dyrban yn diflannu heibio'r domen rwbel.

"Paid â mynd, Sardar," meddai hithau'n dawel.

Pennod 3

Nos Fawrth, 9 Mawrth 1943

Llwyddodd Sardar i sleifio o'r Ysgol Ganol ddeng munud yn gynnar y prynhawn Mawrth hwnnw. Ffugiodd ei fod yn dioddef o boen yn ei fol a gofynnodd am gael mynd i'r tŷ bach.

Nid oedd am gael cwmni neb ar y ffordd adref y prynhawn hwnnw.

Galwodd yn Hafanedd dim ond i ddweud ei fod yn mynd i ganolfan yr Urdd drwy'r nos i helpu gyda set y ddrama. Cafodd afal yn ei law ac aeth i fyny am Dan y Clogwyn.

"Hwyr y dydd i fynd i'r mynydd," meddai Gwilym Lewis wrth ei giât.

"Dim ond at Fryn Crug ac i lawr y lôn am Ffordd Manod," meddai Sardar yn ddiamynedd.

Roedd glaw'r diwrnod cynt wedi clirio'r eira i gyd oddi ar y llechweddau.

Disgwyliai Mei amdano wrth y fforch ym Mwlch Carreg y Frân, a'i sgrepan lawn ar ei gefn.

"Tyrd," oedd yr unig air oedd ganddo i'w gynnig.

Roedden nhw wedi bod dros y trefniadau gymaint o weithiau bellach. Roedden nhw'n hollol glir ym meddwl Sardar. Roedd ei fwriad yn hollol glir hefyd. Roedd hi'n dal yn olau braf i gyfeiriad Llŷn, a thipyn o daith gan yr haul o hyd.

Arafodd Mei wrth nesu at ffordd Cwm Teigl ym mhen draw'r bwlch.

Roedden nhw'n dal o olwg mynedfa chwarel Bwlch Slatars a chwt yr Hôm Gard.

Aethant i'r dde am gwt powdwr Bwlch Slatars.

Nid oedd llwybr yma. Dim ond camu'n fras rhwng y crawcwellt a'r brwyn. Cadwai Mei draw o'r darnau gwlypaf ac roedd yn amlwg ei fod wedi paratoi pa drywydd i'w ddilyn. Anelodd am y graig yng nghefn y cwt powdwr.

O ben honno, gallent weld tomenni Bwlch Slatars a'r Graig Ddu yn rhedeg i'w gilydd.

"Draw."

Daliodd ei law i'r dde ac roedd ganddynt ddringfa serth heibio'r tomenni bellach. Bob hyn a hyn troai Sardar i edrych ar yr olygfa y tu cefn iddyn nhw. Gwelai fynyddoedd glas yn y pellter. Gwelai Gwm Teigl yn ymestyn i'r chwith a ffordd y cwm yn llinyn llwyd ar hyd ei lechwedd. Roedd y trywydd hwn yn un da, meddyliodd. Nid oedd yr un enaid byw i'w weld yn unman.

Doedd Mei ddim yn oedi nac yn edrych o'i gwmpas.

Brysiodd Sardar i'w ddilyn.

A'i wynt yn fyr, dyma gyrraedd y brig.

Yma roedd tomen rwbel isel ar y chwith. Roeddent wedi dringo o amgylch y tomenni a bellach nid oedd ond rhyw ddecllath o ddringo'r llechi i gyrraedd brig y domen.

Nesaodd Mei at y domen. Dringodd yn ei gwrcwd. Aeth ar ei fol ar y ddwylath olaf a chodi'i ben yn ofalus dros y grib.

Bu'n craffu am funud neu ddau i bob cyfeiriad.

Tynnodd ei ben yn ôl a sibrydodd wrth Sardar,

"Mae ffordd lefel uchaf y Graig Ddu yr ochr draw i'r grib yna. Mae pawb wedi mynd adra. Dim golwg o neb ar yr un lefel nac i lawr yn y twll chwarel. Awn ni drosodd. Paid â neud sŵn ar y llechi. Dim siarad o hyn ymlaen."

Dim siarad, meddyliodd Sardar! Tair sill oedd wedi bod rhyngddyn nhw ers iddyn nhw gyfarfod.

Yn ofalus, croesodd y grib ar ôl Mei, yna i lawr i'r ffordd chwarel yr ochr draw.

Y tro hwn, aeth Mei i'r chwith. Ymlaen ac ymlaen ar hyd y lefel uchaf. Brasgamai fel ceffyl gwedd. Bron nad oedd Sardar yn gorfod rhedeg i gadw gydag o.

Roedden nhw'n gweithio'u ffordd o amgylch copa Manod Mawr fel eu bod bellach uwch ben mynedfa Bwlch Slatars.

Croesodd Mei frig y domen eto a'r tro hwn roedden nhw ar lwybr Llyn Pysgod. Gwelodd Sardar y garreg. Wrth nesu, gwelent geg y simnai wynt.

Eto, heb yngan gair, tynnodd Mei y sgrepan oddi ar ei gefn a'i rhoi i bwyso ar y garreg. Agorodd hi a thynnodd y lampau pen a'r canhwyllau ohoni a'u rhoi ar ddarn o lechen yn ei ymyl.

Tynnodd y rhaffau ohoni.

Sylwodd Mei fod y ddwy raff wedi'u clymu'n gelfydd i'w gilydd erbyn hyn. Clymodd Mei un pen y rhaff o amgylch y garreg fawr uwch ceg y twll.

Gollyngodd y gweddill drwy'r twll.

Gweithiodd yn gyflym ac nid oedd diffyg llaw chwith fel pe bai'n amharu dim arno.

Llaw chwith Mei, meddyliodd.

Brawd ei daid yn yr ardd yn y Punjab, meddyliodd wedyn.

Y newyn yn India ddaeth i'w gof wedyn. Roedd llythyr ei dad yn sôn am y newyddion o'r hen wlad fod Churchill wedi gorchymyn cario'r cynhaeaf i gyd o India i'r lluoedd arfog yn Ewrop. Byddai miliynau yn marw yno ...

Tad Nel ...

Colli, colli, colli. Yr un lliw ydi dagrau ar bob cyfandir, meddyliodd.

Tynnodd Mei y tri thun o bowdwr du o'r sgrepan, y tanwyr a'r torch o ffiws. Dychwelodd nhw i'r sgrepan ynghyd â'r canhwyllau. Trawodd ei law ar boced ei gôt a chlywed sŵn bocs o fatsys. Rhoddodd un lamp ar ei dalcen a'r gweddill yn y sgrepan.

Cydiodd yn y rhaff a gollwng ei draed drwy geg y simnai.

Cododd ei ben i roi un edrychiad olaf ar Sardar.

"Cofia," meddai.

Yna diflannodd i lawr y simnai.

Roedd yr haul isel yn rhoi arlliw euraid i'r mynyddoedd. Er bod moelni'r gaeaf yn amlwg, doedd y moelni hwnnw ddim heb ei liwiau, meddyliodd Sardar.

Cuddiodd y tu ôl i'r garreg fawr, ond cadwai olwg o'i gwmpas bob hyn a hyn.

Dim ond unwaith y clywodd leisiau. Rhyw weiddi o flaen mynedfa Bwlch Slatars oedd rheiny, tybiodd. Yr awyr fain yn cario'r sŵn.

Roedd Mei wedi bod yn llygad ei le yn mynnu eu bod yn ddistaw.

Meddyliodd pa gamau roedd Mei yn eu gwneud y foment honno. Byddai wedi cyrraedd gwaelod y simnai ac wedi mynd drwy'r ffenest uwch clogwyn pellaf siambr Rhif 2, tybiodd.

Roedd wrthi'n pacio'r powdwr du i rychau dwfn yn y graig, mae'n siŵr. Doedd Mei ddim wedi mentro mynd ag ebill i wneud tyllau pwrpasol gan y byddai'r sŵn yn saff o gario. Roedd yn rhaid mentro ar rychau oedd yno'n barod a gobeithio'r gorau.

Gosod taniwr ym mhob un. Cydio weiren y ffiws wrth bob un o'r rheiny a dirwyn digon o hyd o ffiws cyn ei lapio o amgylch cannwyll. Y cam olaf fyddai goleuo'r gannwyll a dringo'n ôl i fyny'r simnai wynt am ei fywyd.

Aeth Sardar dros y camau eto. Drosodd a throsodd.

Roedd siapiau'r cerrig ar y tomenni llechi yn creu cysgodion twyllodrus bellach ac roedd Sardar ychydig yn nerfus wrth edrych o'i gwmpas.

Bron iddo ddychryn wrth glywed sŵn wrth ei ochr.

Ymddangosodd pen Mei drwy geg y simnai. Roedd yn gwenu hyd yn oed.

Dathlodd drwy sibrwd yr hanes.

"Mi gefais i lwc dda efo'r rhychau. Digon dwfn i roi gwth i'r graig ac felly doedd dim angen gormod o bowdwr. Fydd y glec ddim yn un uchel."

Eisteddodd ar yr wyneb wrth geg y simnai a'i glust yn agos at y twll.

"Unrhyw funud rŵan."

Clywodd Sardar chwythiad yn hytrach na chlec. Yna, sŵn fel sŵn trên mewn twnnel.

"Cwymp y to," sibrydodd Mei. "Mi fydd yn edrych fel cwymp hollol naturiol."

Dyna oedd y peth gorau am y cynllun, meddyliodd Sardar. Byddai'r cyfan yn edrych fel damwain. Roedd cwymp o graig y nenfwd yn rhywbeth arferol – rhywbeth i'w ddisgwyl, bron iawn, yn siambrau'r chwareli tanddaearol.

Oedodd y ddau am rai munudau pellach. Doedd dim sŵn lleisiau o fynedfa'r chwarel. Doedd dim goleuadau trydan wedi'u cynnau yn y siambr fewnol. Dim. Rhoddodd Sardar lamp ar ei dalcen.

"Lawr â ni."

Dilynodd Sardar Mei ar y rhaff y tro hwn. I lawr y simnai wynt, gwasgu drwy'r twll cyfyng ac at y ffenest.

Doedd y cymylau llwch ddim wedi setlo yn llwyr ar ôl y chwythiad.

Ond roedd hi'n amlwg bod cwymp helaeth wedi digwydd.

Taflodd Mei olau ei lamp ar yr adeilad. Roedd cefn stordy Rhif 2 wedi'i chwalu'n ulw.

Roedd tomen o feini mawr a brics ar chwâl yng nghefn y siambr.

Gollyngodd Mei weddill y rhaff i lawr at frig y domen islaw.

Cododd ei law i rwystro Sardar rhag symud.

Plethodd Mei y rhaff am ran uchaf ei goes a gollwng ei hun ar wyneb y graig. Defnyddiodd ei draed i gerdded o ochr i ochr ar hyd y clogwyn. Cydiodd yn y rhaff â'i law dde a defnyddiodd y pren ar flaen ei fraich chwith i daro'r nenfwd a'r clogwyn.

Disgynnodd ambell dalpyn o graig ar ben y domen islaw.

Ond dim byd rhy fawr.

"Chwythiad glân iawn," sibrydodd Mei ar ôl iddo gael ei fodloni. "Dilyn fi."

Cyrhaeddodd Sardar y domen o gerrig a llwch. Roedd hwn

yn deimlad hollol wahanol i fod yng nghrombil chwarel Rhiw-bach, meddyliodd. Roedd yn teimlo fod ganddo hawl i wneud y daith honno yng nghwmni Nel a Mei, ond teimlai fel dieithryn y tro hwn.

Edrychodd yn nerfus tua'r fynedfa. Gallai'r drws agor. Gallai rhywun ddod i mewn a chynnau'r golau trydan …

Roedd Mei wedi mynd at weddillion cefn yr adeilad ac yn taro brig y waliau i gael gwared ag unrhyw frics rhydd.

"Tyrd."

Camodd Sardar i mewn i'r storfa. Gallai weld silffoedd ym mhen blaen yr adeilad. Rhesi o barseli culion yn sefyll ar eu cyllyll arnyn nhw.

Roedd tomen y graig wedi llifo i mewn i gefn y stordy. Diosgodd Mei ei sgrepan a thynnu'r canhwyllau ohoni. Gosododd y pump mewn mannau diogel ar y waliau brics chwâl a'u cynnau.

Yng ngolau'r canhwyllau, roedd yn haws gweld y gwaith oedd o'u blaenau.

"Helpa fi efo'r garreg fawr yma."

Rhwng y ddau ohonyn nhw, symudwyd llechfaen hir o'r ffordd.

Defnyddiodd Mei lamp dalcen ychwanegol yn ei law i oleuo'r tyllau oedd rhwng creigiau'r domen. Symudodd o'r wal gefn yn raddol i mewn i'r stordy. Yna:

"Dyma nhw!"

Dechreuodd Mei symud cerrig yn gynddeiriog.

Aeth Sardar ato i'w helpu.

Cyn bo hir, gallent weld topiau gwyrdd dwy sêff yng ngolau'r canhwyllau.

"Mae yna un arall yr ochr yma ac un arall yr ochr draw iddyn nhw. A dwy arall draw yn fan'cw."

Mwy o glirio nes bod chwe sêff yn y golwg.

"Dydyn nhw ddim wedi disgyn ymlaen ar eu drysau, diolch byth," meddai Mei. "Fysan ni byth bythoedd yn medru codi'r rhain."

"Yli," meddai Sardar gan bwyntio at yr un ar y pen.

Roedd y glec a gafodd honno wedi ffrwydro'r drws yn gilagored.

Cliriodd Mei y cerrig o flaen y sêff. Cydiodd yn nwrn y drws.

"Barod?"

Nodiodd Sardar. Agorodd Mei y drws a dal y lamp ar y silffoedd mewnol.

"Shsh ...!"

Roedd Mei wedi sylwi fod Sardar wedi agor ei geg yn fawr fel pe bai am roi gwaedd anferthol.

Syllodd y ddau ar y golau'n symud o silff i silff.

Cadwyni.

Modrwyau.

Tlysau yn llawn gemau gwerthfawr.

Roedden nhw wedi dyfalu'n gywir, meddyliodd Sardar. Trysorau'r teulu brenhinol oedd yn y chwe sêff. Ysbail y Goron.

Chwilio a chwalu yn gyflym ond doedd yno ddim coronau.

Trodd y ddau at y bum sêff arall.

Sylwodd Sardar fod ymyl y drws ymhell oddi wrth y ffrâm ar un ohonyn nhw.

Aeth Mei ati i wthio trionglau o gerrig llechi i mewn i'r

agen. Wrth eu gwthio ymhellach, agorai'r drws fymryn mwy gan roi straen ar y bollt. Wedi cael rhes o gerrig i ledu'r agen, cododd Mei garreg fain hir a'i gwthio i mewn lle roedd yr agen ar ei lletaf. Rhoddodd ei bwysau ar ben pellaf y garreg ac ildiodd bollt y sêff gyda chlec.

Unwaith eto dyma daro'r golau ar bob silff. Rhyfeddu at yr aur, yr arian, y perlau a'r cerfiadau cain. Ond eto, dim coronau.

Aeth Mei i'w boced a dangos un taniwr.

"Dim ond un sy gen i ar ôl," sibrydodd. "Pa sêff? Allwn ni ddim ond agor un ond mae yna bedair ar ôl. Mymryn o bowdwr du yn nhwll y clo. Taniwr. Ffiws. Un glec fach, fach. Ond pa sêff?"

Syllodd Sardar ar y bedair sêff am yn hir.

"Tyrd neu mi fydd hi wedi gwawrio!"

"Yr un bellaf ar y chwith," meddai Sardar. "'Run fath â dy law di. Yr un ar y chwith."

Aeth Mei ati ar unwaith i osod y powdwr a'r taniwr.

"Dos y tu ôl i'r wal frics yna," meddai wrth Sardar.

Toc, roedd yn rhedeg ar ei ôl i'r cysgod.

Clywodd glec fel dwy garreg yn taro'n erbyn ei gilydd.

Aeth y ddau yn ôl i'r stordy a gweld bod y drws wedi'i chwythu ar agor.

Plygodd Sardar a thaflu'i olau ar y silff uchaf. Yno yn ei wynebu roedd coron addurnedig. Yng nghanol blaen y goron roedd diamwnt anferth.

"Dyma fo, o'r diwedd," sibrydodd Sardar. "Y Koh-i-Noor!"

Estynnodd amdano ond oedodd. Roedd yr holl hanes yn ei ddal yn ôl. Roedd y diamwnt yn symbol o'r holl waed a gollwyd yn y Punjab ac yn India. Ond roedd yn arwydd hefyd o ryddid a'r hawl i greu dyfodol newydd.

Cydiodd yn y goron a rhoi ei law ar y diamwnt.

"Wyt ti am ei gwisgo hi?" tynnodd Mei ei goes.

Edrychodd Sardar arni eto, yna rhoddodd y goron yn ôl ar y silff.

"Y Koh-i-Noor!" meddai Sardar eto, gan dynnu'i ddwylo'n ôl.

"Be wyt ti'n ei wneud?" meddai Mei yn wyllt. "Roeddwn i'n meddwl mai'r holl bwynt oedd dy fod am fynd â'r diamwnt yna yn ôl i'r Punjab?"

"Pan ddaw'r amser," meddai Sardar, "mi gân nhw gyflwyno'r trysor maen nhw wedi'i ddwyn oddi arnom ni yn ôl i ni. Fydd yr amser hwnnw ddim yn hir cyn dod."

"Mae hynny'n neud y tro i ti, felly?"

"Mae cyffwrdd yn y diamwnt wedi bod yn ddigon."

Edrychodd Mei ar y waliau brics yn rwbel, y to yn racs a'r domen o gerrig.

"Yr holl lanast yma dim ond am un cyffyrddiad!" meddai. Ond roedd chwerthiniad yn ei lais.

Doedd Sardar ddim yn gwrando arno. Roedd yn chwilio a chwalu ar hyd silffoedd eraill y sêff. Roedd yno bob math o goronau uchel, rhwysgfawr ar gyfer seremonïau'r ymerodraeth.

"A! Be ydi hon?"

Tynnodd goron isel, fechan oddi ar silff. Coron efydd oedd hi heb emau gwerthfawr ynddi. Coron syml ond hardd, gyda phigyn mawr ar ei blaen a thri phigyn bychan ar bob chwarter. Edrychodd y tu mewn iddi a gweld yr ysgythriad 'Arthur Regnum'.

"Coron Arthur!" meddai Sardar.

Derbyniodd Mei'r goron o'i ddwylo a'i gwisgo am ei ben.

"Dyma hi," meddai. "Y goron roedd Edward y Cyntaf mor awyddus i gael ei fachau arni ..."

Pennod 4

Rhoddodd Mei Goron Arthur mewn lliain yng ngwaelod ei sgrepan.

"Rhaid inni ailgladdu'r sêffs," meddai wrth Sardar. "Helpa fi i symud rhai o'r cerrig."

Crafodd Mei ôl y llosgi oddi ar y sêff olaf lle roedd y powdwr du wedi gadael ei farc. Rhwbiodd lwch dros y clo.

Ymhen deng munud, roedd yr olygfa yn edrych fel cwymp naturiol o'r nenfwd unwaith eto, gyda drysau'r sêff wedi'u cau, gystal ag roedd modd gwneud hynny.

"Canhwyllau," meddai Mei.

Aethant ati i'w diffodd. Dim ond dwy lamp dalcen oedd ganddyn nhw bellach. Wedi i'r canhwyllau oeri, aeth y ddau i'w casglu a'u taflu i'r sgrepan.

"Paid â cherdded yn y llwch ar lawr clir," meddai Mei. "Cadw at y cerrig. 'Dan ni ddim isio gadael ôl traed."

Cyn hir, roedden nhw'n dringo wyneb clogwyn pellaf y siambr, cyn cyrraedd y ffenest a chodi'r rhaff.

Oedodd y ddau i edrych drwy'r ffenest ar yr olygfa yng ngolau'r lampau talcen am y tro olaf.

Y cam olaf oedd codi cerrig bras o waelod y twll dianc i gau'r ffenest, fel nad oedd honno i'w gweld yn amlwg gan rai fyddai'n astudio nenfwd y siambr yn y dyfodol.

Yna i fyny'r simnai wynt.

Roedd hi'n dal yn olau pan ddaethant allan ar gopa

Manod Mawr. Bellach roedd yr haul yn isel yn y gorllewin, ond roedd digon o olau o hyd yng nghysgodion yr hwyr.

"Mae gen ti awr cyn y bydd hi'n hollol dywyll," meddai Mei. "Mynd i lawr inclêns car gwyllt fyddai orau iti rŵan. Ddo i efo ti at ben yr un gynta. I'r chwith ar hyd ffordd y chwarel fan hyn."

Uwch yr inclên gyntaf, safodd y ddau i ffarwelio.

"Mi fydd y sgrepan yng nghwt powdwr Rhiw-bach ar ôl heno felly?" sibrydodd Sardar.

"Dyna'r cynllun."

"Ac wedyn?"

"Cawn weld. Dyna ddwedson ni, yndê."

"Efallai fod fy amser yn brin."

"Mae'n brinnach heno. Lawr â thi."

"Hen dro na fuasai gen i gar gwyllt!"

"Ie, a thynnu sylw'r holl dre?"

Trodd y llanc i gamu ar gledrau'r inclên.

"Sardar?"

"Ie?"

"Da iawn heno."

Gwenodd Sardar o glust i glust wrth i Meirion Ddu godi'i law dde a brasgamu'n ei ôl ar hyd ffordd y chwarel.

* * *

Yn 9 Tan y Clogwyn, eisteddai Nel ar ris drws cefn ei chartref yn anwesu Siw ar ei glin.

"Pam nad ydi o'n fy nhrystio i, Siw?"

Cododd yr ast fach ei phen fel petai'n deall pob gair ac yn cydymdeimlo â'i meistres.

"Mae o'n cadw rhwbath oddi wrtha i … mae 'na ryw gyfrinach … rhyw ddirgelwch …"

Roedd wedi galw yn Hafanedd ar ôl dod o'r ysgol i weld a oedd Sardar wedi cael gwared o'i boen stumog.

"Wedi mynd i baentio set y ddrama ar gyfer yr Urdd," roedd Miss Marian wedi'i ddweud wrthi. Doedd hithau ddim wedi sylwi ar yr olwg ddryslyd ar wyneb Nel. Gwyddai Nel o'r gorau nad oedd unrhyw sôn wedi bod am baentio set cyn hynny.

"Mi fydd yno drwy'r nos, meddai o," dywedodd Miss Elen. "Mi wnes i fynnu ei fod yn mynd ag afal gydag o."

"Ac mae'r rheiny yn brin ac yn ddrud y dyddiau yma," meddai Miss Marian.

Pan gyrhaeddodd adref roedd Gwil Gwyneb Lemon wedi cael modd i fyw yn dweud wrthi,

"Ti'n hwyr iawn! Rhy hwyr i ddal y llanc 'na. Mae o wedi mynd i fyny'r llwybr yna fel fflamiau ers rhyw chwarter awr."

Wedi mynd i'r mynydd hebddi. Eto. Roedd hi'n gwybod yn ei chalon ei fod wedi cyfarfod â Meirion Ddu o leiaf unwaith yn ddiweddar. Hebddi. Pa gyfrinach oedd rhyngddyn nhw? Pam nad oedden nhw'n ei chynnwys hi yn y gyfrinach honno? Roedd rhywbeth yn dweud wrthi nad oedden nhw'n ei thrystio …

A doedd dim golwg fod Sardar wedi dod yn ei ôl. Gwyddai nad oedd yng nghanolfan yr Urdd. Roedd yr haul wedi machlud y tu draw i'r gorwel bellach. Penderfynodd roi tro arall am y ffordd a âi heibio Hafanedd.

"Tyrd, Siw."

* * *

Cerddai Gordon John gyda'i gi ar hyd y Stryd Fawr i gyfeiriad Manod.

Roedd ei dad yn cwyno fod y ci yn mynd yn rhy dew.

"Does gen i ddim amser i fynd â Churchill am dro erbyn hyn," meddai wrtho. "Rhy brysur gyda'r rhyfel. Rhaid i ti fynd â fo o gwmpas y bloc ddwywaith y dydd."

"Cael gormod o sbarion cig y siop gen ti mae o," roedd Gordon wedi dweud wrtho yn ateb. "Ac nid tew ydi o, ond hen."

Ond bellach roedd yn gweld rheswm yn syniad ei dad ac roedd yn cerdded y bwlteriar rownd y bloc cyn mynd i'r ysgol a chyn iddi dywyllu bob dydd. Ei drefn oedd mynd ar hyd y Stryd Fawr, i fyny Tan Rallt, i lawr am Ffordd Bowydd, draw at y parc ar y sgwâr ac yna ar hyd Ffordd Maenofferen yn ôl at siop y cigydd.

Y noson honno, cododd Churchill ei ben ac edrych i'r chwith wrth iddyn nhw groesi am Tan Rallt. Dechreuodd chwyrnu.

"Be sy, 'ngwas i?" meddai Gordon, gan godi'i ben a gweld Nel a Siw. "O, wedi gweld yr hen gi rhech yna wyt ti? Ia, chdi biau'r patsh yma, yndê Churchill? Wyt ti am ddysgu gwers arall iddi hi?"

Heb fwy o anogaeth, dechreuodd Churchill gyfarth yn lloerig dros y stryd a rhedeg i fyny'r allt i sgwario pethau gyda Siw. Ond bellach, doedd 'rhedeg' ddim yn golygu symud yn gyflym iawn i'r hen fwlteriar. Rhyw rowlio'n araf i fyny'r allt yr oedd, gan gyfarth pob math o fygythion ar y daeargi wrth wneud.

"Na! Ci drwg! Dos yn ôl," gwaeddodd Nel. "Siw, tyrd yma imi gael gafael ynot ti."

Doedd Siw ddim am ufuddhau y noson honno. Osgôdd freichiau ei meistres a safodd ar ganol yr allt, un droed i fyny a'i gwrychyn yn codi. Dôi chwyrniad isel o waelodion ei gwddw ...

"Na, Siw! Tyrd ata i ..."

Roedd Churchill bron â chyrraedd maes y gad. Erbyn hyn, roedd ei wib ymosodol wedi arafu yn gerddediad. Ond daliai i edrych yn eithriadol o hyll a bygythiol. Roedd ei ddau ddant cnoi yn amlwg yr ochr allan i'w safn. Chwyrnai – ond dim ond bob hyn a hyn, pan oedd ei wynt yn caniatáu.

Ni symudodd Siw. Stopiodd ci'r cigydd ryw lathen yn is i lawr na'r daeargi.

Cerddodd Nel i lawr yr allt gan wneud osgo ei bod am godi Siw i ddiogelwch ei breichiau.

"Gad i'r ast fach ddal ei thir."

Trodd Nel i wynebu'r llais. Roedd Sardar wedi cyrraedd yr allt drwy gerdded ar hyd lôn o dan y tai teras. Nid oedd wedi sylwi arno yn wyneb y bygythiad i Siw.

"Mae hi'n gymaint llai na'r bwli mawr yna," mynnodd Nel.

"Ond yn gynt na fo ..."

Cyfarthodd Churchill yn uchel, fel pe bai'n rhoi rhes o orchmynion i'r daeargi.

Chwyrnodd Siw yn isel a chymryd cam ymlaen.

Sgwariodd Churchill, ond ni chymerodd gam arall i fyny'r allt.

Yn sydyn llamodd Siw yn ei blaen, mynd heibio ar yr ochr chwith i ddannedd y bwlteriar a sefyll y tu ôl iddo.

Yn araf a thrwsgwl, trodd Churchill gan fwriadu ei hwynebu eto. Ond erbyn hynny roedd Siw wedi ochrgamu a dawnsio i fyny'r allt nes ei bod y tu ôl iddo eto.

Yna, estynnodd ei thrwyn at gynffon y bwlteriar a rhoi brathiad iddi.

Udodd Churchill fel ci o'i go. Saethodd ei gynffon rhwng ei goesau a gwibiodd yn ei ôl i lawr yr allt at Gordon John.

Edrychodd hwnnw'n flin gynddeiriog ar y tri ar yr allt ond aeth yn ei flaen i gerdded rownd y bloc.

"Da iawn, Siw!" meddai Sardar gan blygu i anwesu'r ast fach ddewr. Dotiai honno at y sylw a gâi ganddo.

"Lle fuost ti, Sardar? Dwi wedi bod yn holi am dy iechyd, 'ta wyt ti ddim am ddeud?"

Sythodd Sardar a'i hwynebu.

"Mae'n ddrwg gen i, Nel. Mae gen i lawer i'w ddweud wrthat ti."

"Dwi wedi cael y teimlad nad wyt ti isio deud dim byd wrtha i."

"Nid hynny o gwbwl, Nel. Dy amddiffyn di roedd Mei a finnau ..."

"Ac mae Mei yn y gyfrinach, ydi o? Fy amddiffyn i rhag beth neu rhag pwy, neno'r annwyl?"

Edrychodd Sardar ar ei hwyneb am hydoedd.

"Gawn ni fynd am dro hir i'r mynydd cyn hir?" gofynnodd y llanc. "Mae gen i stori faith i'w hadrodd."

"Ddim nos fory," meddai Nel. "Maen nhw'n dechra paentio set y ddrama nos fory. Mi fyddan nhw angen dy ddoniau di."

"Faint o'r gloch?" gofynnodd Sardar.

"Mi wna i alw amdanat ti am chwech."

"Edrych ymlaen."

"Tyrd Siw. Tyrd Siw, arwres fach newydd tŷ ni!"

* * *

Bump o'r gloch y prynhawn canlynol, roedd golwg ychydig yn ffwndrus ar Brei Drws Nesaf pan welodd Nel ef yn dringo'r allt wedi i'r bỳs gwaith ei ollwng.

"Ro'n i'n meddwl bod popeth yn dawel yn y chwarel yna," meddai Nel. "Mae golwg dyn wedi bod yn lladd nadroedd drwy'r dydd arnat ti."

"Taw wir, Nel bach. Sôn am lanast," cwynodd Brei.

"Be ddigwyddodd?"

"Cwymp mawr. Darn helaeth o'r to wedi syrthio i mewn yn siambr Rhif 2."

"Gafodd rhywun niwed?"

"Yn ystod y nos ddigwyddodd hynny, diolch byth. Na, does neb ddim tamaid gwaeth, dim ond ein bod ni wedi ymlâdd ar ôl bod yn clirio'r llanast drwy'r dydd. Andros o olwg ar stordy Rhif 2."

"Roedd y stordy wedi'i daro?"

"O, oedd! Pen draw'r adeilad wedi'i chwalu'n llwyr."

"A'r lluniau? Oedd yna luniau wedi'u difetha ac wedi'u colli?"

"Na, dim un. Rhyfedd iawn, ond roedd y graig fel petai hi'n edrych ar ôl y lluniau. Mi fownsiodd y cerrig ar y to sinc yn y cefn, chwalu'r rheiny, malu'r wal gefn yn yfflon, disgyn ar ben y sêffs cyfrinachol yn y pen draw – a dyna'r cwbwl. Roedd y lluniau'n hollol ddiogel ar eu silffoedd. Dim ond bod llwch dros y pecynnau i gyd."

"A beth am y sêffs cyfrinachol, fel ti'n eu galw?"

"O, roedd y rheiny wedi'i chael hi. Ambell un wedi cael ei hergydio'n wael iawn. Y bolltiau wedi torri, drysau ar agor ..."

"Felly dydyn nhw ddim yn sêffs cyfrinachol erbyn hyn?"

"Wel, ydyn. Unwaith y gwelodd gweithwyr y galeri beth oedd wedi digwydd, dyma nhw'n ffonio rhywle. Mae'n rhaid eu bod wedi cael cyfarwyddiadau manwl. O fewn dim, roedd cwmni seiri Jenkins Llan wedi'u galw i adeiladu paneli dros dro i gau rownd y sêffs. Welson ni ddim byd o'r cynnwys tra oeddan ni'r ochr arall i'r paneli yn clirio'r cerrig. Dyna fuon ni'n ei neud drwy'r dydd."

"Oes 'na beryg y bydd yna gwymp arall?"

"Does neb am gymryd siawns. Mi fu gweithwyr y galeri wrthi drwy'r dydd yn symud y lluniau o Rhif 2 i'r stordai eraill. Mi fyddan nhw wrthi tan yn hwyr heno. Mae yna griw arall ohonyn nhw yn ailgodi sgaffaldiau i studio'r nenfwd, i archwilio pa mor ddiogel ydi honno. Bydd rhaid neud hynny ym mhob un siambr."

"Mae dy waith di'n ddiogel am sbel eto felly, Brei?"

"Dwn i ddim. Mi gyrhaeddodd criw'r ofyrôls brown ddiwedd y prynhawn. Mi aethon at y sêffs yn syth. Nhw oedd yn y gadair wedyn. Hanner gair gan un ohonyn nhw ac roedd pawb yn neidio i ufuddhau. Maen nhw am fod wrthi am ddyddiau rŵan yn archwilio'r sêffs, ac yna mae yna sôn y byddan nhw'n mynd â nhw oddi yno."

"Y chwarel ddim yn ddigon diogel iddyn nhw?"

"Wn i ddim. Roeddan nhw'n flin fel cacwn i gyd, beth

bynnag. Petha o Lundain oeddan nhw, synnwn i ddim. O, a dyma iti beth rhyfedd gefais i yno yng nghanol y rwbel hefyd …"

"Be?"

Aeth Brei i'w boced a thynnu hanner cannwyll ohoni. Roedd ei wic yn ddu, yn amlwg wedi'i losgi.

"Un o ganhwyllau'r hen chwarelwyr pan oeddan nhw yn gweithio yn y siambr. Mae'n rhaid ei bod yn sownd yn y wal yn rhywle a'i bod hi wedi disgyn i lawr gyda'r cwymp. Ond roedd hi'n edrych yn rhyfedd hefyd."

"Rhyfedd?"

"Roedd hi wedi glanio ar un o'r darnau wal brics oedd ar ôl a fan'na y ces i hi, yn sefyll yn ddel yng nghanol y rwbel …"

Cydiodd Nel yn y gannwyll.

"Ga i gadw hon, gen ti? I gofio am y chwarelwyr?"

Pennod 5

"Mae'r tapestri ar y wal yna'n wych gan y ddau ohonoch chi!" rhyfeddodd Richard Jones. Cododd ei lais a galw gweddill yr aelodau i weld yr olygfa yr oedd Sardar a Nel yn ei phaentio.

"Argol, dyna liwiau dramatig!" meddai Nita.

"Mae llygaid y carw yn edrych fel petai o'n fyw," sylwodd Idwal.

Paentio set ddrama i greu cefndir i neuadd Llywelyn yng nghastell Dolwyddelan oedd ar waith. Roedd Nel wrthi'n paentio cerrig ar y waliau ond roedd Sardar wedi neilltuo un darn o'r set ar gyfer tapestri. Ar y tapestri, roedd wedi creu golygfa o Llywelyn a'i lys ar geffylau yn hela carw yng nghoed Dyffryn Lledr. Golygfa ym mis Tachwedd oedd hi ac roedd dail coch ac oren y derw yn dod â lliwiau trawiadol i'r tapestri.

"Mi allwn i gerdded i ganol i'r olygfa yna'n syth," meddai Sali.

"Mae'n edrych fel carped drud o Bersia," meddai Beti.

"Neu waith cotwm o India, efallai?" meddai Sardar dan wenu.

"Hei, hwn ydi Llywelyn?" gofynnodd Gwynfor, gan bwyntio at gymeriad ar gefn un o'r ceffylau yn yr helfa. "Mae'n rhyfedd o debyg i ti, Idwal, hefyd!"

"Mae'r goron ar ei ben yn gweithio'n dda," meddai Richard Jones. "Coron isel, heb fod yn rhy fawreddog. Lliw efydd, heb gerrig drud. Digon i nodi statws Llywelyn ond dim sbloet o gyfoeth. Syniad da."

"Mi wna i ychwanegu honno at y rhestr o brops a phetha ychwanegol rydan ni eu hangen," meddai un arall o gynorthwywyr yr Aelwyd.

"Dewch inni fynd drwy'r rhestr," meddai Richard Jones. "Mi fyddwn yn barod i ymarfer heb gopi y tro nesa, a gorau po gyntaf y down ni i arfer â'r offer eraill sydd ar y llwyfan. Beth sydd ei angen ar gyfer y wledd?"

"Platiau pren a llestri pridd …"

"Mi gawn ni ddarnau o bren gan Ifan Saer o ben ein stryd ni, dwi'n siŵr," cynigiodd Gwenda.

"Ella fod gan Mr Kahn hen lestri pridd a chrochan neu ddwy," meddai Nel. "Mi alla i fynd i ofyn iddo fo."

"Mae gan Nain ganwyllbrennau pres i'r neuadd gawn ni eu benthyca, dwi'n siŵr," meddai Delyth.

Fel yna, daeth y rhestr i drefn yn weddol gyflym.

"Ond y goron …" meddai Richard Jones, gan edrych eto ar yr un am ben Llywelyn yn yr olygfa a baentiwyd yn y tapestri. "Mae hi'n goron bendant iawn, pigyn go fawr ar ei thalcen a thri phigyn llai ar bob chwarter cylch. Lle gawn ni un fel hyn?"

"Mi alla i roi cynnig trio neud un o gerdyn a'i phaentio hi," cynigiodd Delyth.

"Gyda phob parch, mi fyddai'n anodd iawn neud iddi edrych fel metel naturiol," meddai Richard Jones.

"Welais i un debyg yng nghwt cefn Mr Kahn, dwi'n meddwl," meddai Sardar. "Dyna lle ces i'r syniad i'r tapestri."

"Gei di ddod hefo fi i ofyn am ffafr arall ganddo fo," meddai Nel.

Rhannwyd y gwaith o gasglu offer rhwng yr aelodau.

"Ymarfer nesa am chwech nos Wener," meddai Richard Jones. "Bydd hwnnw yn ymarfer ar y llwyfan yma, gyda'r set yn ei lle, pawb yn eu gwisgoedd a dewch â'r holl offer ychwanegol yna gyda chi."

* * *

"Awn ni heibio Mr Kahn yn syth ar ôl yr ysgol heno?" gofynnodd Nel i Sardar amser cinio.

"Ie, iawn," atebodd yntau. "Dwi'n siŵr y cawn ni ryw focs neu rywbeth i gario'r pethau ganddo."

Roedd y siopwr yn Neuadd y Farchnad wrth ei fodd yn eu helpu gyda'r paratoadau.

"A! Drama. Ardderchog! Rydw i'n hoff iawn o berfformiadau ac actio. Y tu hwnt i'r llen, a phethau felly yntê! Oes, debyg iawn bod gen i lestri yfed crochenwaith y cewch chi eu benthyca."

Aeth i chwilota ymysg rhai o'r silffoedd uchaf a chanfod rhai wedi'u lapio mewn papur llwyd.

"Wyddoch chi, pan oeddwn i'n blentyn yn Armenia, roedden ni'n cynhyrchu perfformiadau mawr bob Pasg!" meddai Mr Kahn, a gwên atgofus ar ei wyneb. "Dillad mawreddog a lliwgar a cherddoriaeth wych. Roeddwn i wrth fy modd! Pryd fyddwch chi'n perfformio'r ddrama hon?"

"Pythefnos i nos Sadwrn," meddai Nel.

"Yng nghanolfan yr Urdd?"

"Ie."

"Fe fydd yn rhaid imi ddod draw."

"Gewch chi docyn am ddim am eich bod wedi'n helpu ni, dwi'n siŵr," meddai Sardar.

"Rydych chi'n garedig iawn. Caredig iawn," meddai'r hen ŵr. "Rŵan, beth arall sydd ar y rhestr yna?"

"Crochanau. Hen ddysglau metel. Cawgiau haearn?" gofynnodd Nel.

"Yn y cwt allan. Fydda i ddim ... hahaha ... chwinciad llygad llo!"

Diflannodd i'r cefn.

"Canhwyllau i'r canwyllbrennau, dyna fyddwn ni eisiau hefyd," cofiodd Sardar.

"Rhwbath fel hon?" gofynnodd Nel, gan dynnu hanner cannwyll â'i blaen wedi'i llosgi o'i bag ysgol.

"Ie, dyna ti. Pam fod honno gen ti yn dy fag?"

"Brei roddodd hi imi. Roedd wedi cael o hyd iddi wrth glirio'r cwymp yn y storfa yn chwarel Bwlch Slatars."

"Roedd y gannwyll yna yn fan honno?"

"Oedd. Yn sefyll ar ben rhan o wal frics oedd wedi disgyn."

Tawodd Sardar, gan ddal i edrych ar y gannwyll.

"O, a chofia am y goron welaist ti yn y cwt allan," meddai Nel. "'Dan ni isio gofyn i Idwal am honno."

"Na," meddai Sardar, yn reit siarp. "Erbyn cofio, nid yma roedd hi. Ddweda i wrthat ti wedyn."

Daeth Mr Kahn yn ei ôl â llond ei freichiau o grochanau duon o bob math. Estynnodd ganhwyllau iddyn nhw a phacio'r cyfan mewn bocs go gadarn.

"Dyma ni!" meddai'n falch o'r casgliad. "Mae hwn yn drwm ac mae gennych chi daith bell i ben draw'r Stryd Fawr.

Cewch fenthyg y drol fach gen i."

"O, does dim angen, dwi'n siŵr," meddai Sardar, gan gydio yn y bocs. Rhoddodd ochenaid wrth glywed mor drwm oedd ei gynnwys.

"Dim problem! Cewch fenthyg y drol fach," mynnodd Mr Kahn eto. "Glywaist ti'r dywediad Cymraeg ardderchog yna, Sardar – 'Os nad wyt gryf, bydd gyfrwys!' Gad i'r olwynion wneud y gwaith caled."

"Diolch ichi, Mr Kahn," meddai Nel yn wresog.

"Pleser. Edrych ymlaen at weld y ddrama. Ac os cofiwch chi eich bod chi angen rhywbeth arall, dewch yn ôl ataf i. 'Y ci a gerddo a gaiff' – dyna ichi ddywediad doeth arall!"

* * *

"Y memrwn!" cofiodd Nel, wrth iddyn nhw ddringo'r allt a phowlio'r drol i Dan y Clogwyn. "Rydan ni wedi gaddo cael gafael ar hwnnw. Rhaid iddo edrych yn hynafol ..."

"Os oes gen ti 'chydig o bapur wedi'i rowlio, mi allwn ni wneud hynny gyda'r te sydd ar ôl yn nhebot dy fam," meddai Sardar.

Daeth Anwen Jones o hyd i rowlyn o hen bapur wal. Torrodd Sardar ddarn i faint pwrpasol a'i lynu wrth ddarn o hen goes brwsh. Yna rhwbiodd de oer gyda chadach ar gefn y papur.

"O, o bell, mae hwn'na'n edrych yn union fel memrwn!" meddai Anwen Jones.

"Mi adawn ni hwn i sychu cyn sgwennu rhyw gerdd arno fo mewn inc du," meddai Sardar. "Dim ots pa gerdd – fydd neb yn medru'i darllen o'r llwyfan."

"Mi welais Jac y do, felly!" meddai Nel.

Cofiodd Anwen Jones ei bod angen rhywfaint o neges.

"Daliwch chi ati fan hyn," meddai. "Dwi ddim ond yn piciad i'r stryd. Gawn ni de bach wedyn."

Tra oedden nhw'n disgwyl i'r memrwn sychu, trodd Nel at Sardar.

"Y goron. Ym mha gwt mae honno, meddet ti? Dwi yn y niwl."

"Mae hi yng Nghwt y Powdwr Du, fel rwyt ti'n ei alw."

"Dy gwt di yn Rhiw-bach?"

"Hwnnw."

"Sut?"

"Mae'r stori'n dechrau gyda'r newyddion gan Brei fod chwe sêff ddirgel wedi cyrraedd chwarel Bwlch Slatars flwyddyn a hanner yn ôl …"

Am y chwarter awr nesaf, ni thorrodd Nel air.

Eglurodd Sardar sut roedd Meirion Ddu ac yntau wedi rhoi dau a dau at ei gilydd ac wedi dyfalu beth oedd cynnwys y sêffs. Ysbail y Goron. Trysorau wedi'u cipio o sawl gwlad wrth i fyddinoedd y Goron ehangu'r ymerodraeth drwy nerth arfau dros y canrifoedd.

"Mae pobl y Punjab yn dal i deimlo'r golled ar ôl y Koh-i-Noor fel briw agored," meddai Sardar. "Mae Mei yn gwybod hanes Cymru ac yn teimlo yr un fath am y pethau gwerthfawr gafodd eu dwyn oddi yma yn 1282. Nid gwerth mewn punnoedd dwi'n sôn amdano. Symbolau ydi'r trysorau yma. Mae darnau o'n hanes ynddyn nhw. Maen nhw'n rhan o pwy ydan ni. Heb i ni ddarganfod y llwybr y tu ôl inni, allwn ni ddim gwybod i ba gyfeiriad mae copa'r mynydd."

Adroddodd Sardar fod Mei ac yntau wedi crwydro llawer ar Manod Mawr wedi i'r sêffs gyrraedd y chwarel. Roedd y ddau yn teimlo cyffro ym mêr eu hesgyrn wrth eistedd ar rug y mynydd yn gwybod bod darnau gwerthfawr o'u heiddo cenedlaethol mewn stordy yn un o siambrau y chwarel oddi tanyn nhw. Oedd, roedden nhw wedi mynd yng nghwmni'i gilydd heb Nel, roedd yn cyfaddef. Ond dim ond er mwyn ei hamddiffyn hi, meddai Sardar. Roedden nhw'n gwybod bod rhyw gynllun peryglus yn tyfu yn nychymyg y ddau ohonyn nhw.

Nid mater o fethu trystio Nel oedd hyn, pwysleisiodd Sardar. Weithiau mae'n rhaid bod yn hollol gyfrinachol. Gwneud heb ddweud wrth neb. Byddai llai yn sylwi ar yr hyn roedd dau yn ei wneud nag ar beth fyddai tri yn ei wneud.

Dywedodd sut aethon nhw ati i greu'r cynllun i fynd i mewn i'r chwarel ac wedyn paratoi'r offer a setlo ar ddyddiad.

"Wn i ddim pa mor hir y bydda i'n Stiniog eto," meddai Sardar. "Mae hanner yr ifaciwîs wedi mynd yn ôl i Birkenhead a Lerpwl yn barod. Tydi'r gweddill ohonon ni ddim ond yn disgwyl i'n rhieni gael tai addas. Mae'r bomio yr ochr yma i'r môr drosodd. Roedd yn rhaid gwneud rhywbeth y mis hwn neu byddai'n rhy hwyr."

Disgrifiodd bob cam o'r weithred. Roedd ei lygaid yn loyw wrth iddo adrodd hanes chwythu drws y sêff, ei agor ac yna gweld y Koh-i-Noor.

"Y diamwnt enwocaf yn y byd! Diamwnt Punjab. Eiddo fy hen bobl i – a dyma fo mewn cwpwrdd tywyll mewn twll chwarel. Roedd y peth yn anhygoel. Ond fedrwn i ddim ei gymryd oddi yno. Fedrwn i ddim mentro, rhag ofn y byddai rhywbeth yn digwydd iddo tra oedd yn fy meddiant i. Roedd yn ormod o gyfrifoldeb. Mi rois y goron oedd yn ei ddal yn ôl ar y silff yn y sêff."

"Ei roi yn ôl yn y sêff!" llefodd Nel. "Ar ôl yr holl waith, y cynllunio, chwythu'r graig a dringo i lawr i'r chwarel. Mi wnest ei roi yn ôl! 'Nid dwyn ydi dwyn oddi ar leidr' – dwi wedi dy glywed di'n deud hynny fwy nag unwaith! Dwi ddim yn deall ..."

"Beth petai rhywbeth wedi digwydd i Mei a finnau? Mi allasai'r diamwnt fynd ar goll am byth! Na, mae gen i deimlad y bydd pobl India yn codi'u lleisiau pan fydd y rhyfel yma drosodd. Mae yna ysbryd annibynnol drwy'r wlad rŵan. Mae Winston Churchill wedi mynd â thunelli ar dunelli o fwyd o'r wlad yn ystod yr wythnosau diwethaf, yn ôl y llythyr olaf gefais i gan Dad. Mae wedi dwyn cynhaeaf y wlad i gyd ar gyfer ei fyddinoedd yn Burma ac yn India. Bydd newyn mawr yn India eleni, medden nhw. Mi all miliynau farw. Bydd, bydd y wlad yn mynnu'r hyn sy'n iawn ar ôl y rhyfel, ac maen nhw'n siŵr o ofyn i'r Koh-i-Noor gael ei ddychwelyd yno."

"A dyna ni?" gofynnodd Nel.

"Na. Coron Arthur. Does neb yn cofio am honno. Neb heblaw Meirion Ddu sy'n byw yng nghanol adfeilion ar ben mynydd. Roedd hi yno."

"Yn y sêff?"

"Y goron roedd Edward y Cyntaf mor daer i gael ei fachau arni. Y goron y gwnaeth ei dwyn oddi ar y Cymry yn Abaty Aberconwy. Mi ddaethom â honno gyda ni ..."

"Ond pam fod honno'n ddiogel yn eich dwylo chi a'r llall ddim?"

"Mae honno wedi dod yn ôl i Gymru yn barod. Allwn ni ddim gadael iddi lithro rhwng ein dwylo eto. Mae hi'n symbol o hen hanes y Cymry – ac er nad ydi'r Cymry yn cofio amdani, mae'n bwysig ei bod hi yma. Hyd yn oed petaen ni'n penderfynu ei thaflu i bwll mawn yn un o'r corsydd ar Manod Mawr, mae hi yma. Dyna sy'n bwysig."

"Ac mae hi yng Nghwt y Powdwr Du ar hyn o bryd?"

"Yn disgwyl ei thynged."

"Beth petai swyddogion y Goron yn gweld ei cholli, yn dechra amau rhyw ddrwg ac yn chwilio amdani?"

"Ydyn nhw'n poeni? Darn o efydd ydi hi. Nid un o ddiamwntau mwyaf gwerthfawr y byd. Does neb wedi sôn amdani ers canrifoedd. Maen nhw wedi anghofio amdani."

"Ond mi gawn ni ei defnyddio yn ein drama ni!"

"Mi awn i weld Mei ar ôl ysgol nos fory."

Pennod 6

Yn hwyrach y nos Iau honno, roedd Nel yn holi Brei. Nid sgwrsio am ryw newyddion roedd hi bellach, ond ei holi'n dwll.

"Be ddigwyddodd i'r sêffs heddiw, Brei?"

"Maen nhw wedi gorffen tynnu popeth allan ohonyn nhw, a neud rhestr lawn o'r trysorau. Roedd yna tua dwsin ohonyn nhw. Fyddet ti ddim yn coelio'r ffasiwn lol."

"Sut fath o lol, felly?"

"Roedd yn rhaid inni gario byrddau yno ben bore. Roeddan nhw isio llieiniau byrddau dros y rheiny wedyn. Roeddan nhw i gyd yn gwisgo menyg ac roeddan nhw wedi dod â phetha glanhau efo nhw."

"Doedd dŵr a sebon ddim digon da, mae'n siŵr?"

"Welis i erioed y ffasiwn gasgliad o duniau a photeli a gwlanenni a chadachau a lledr meddal a phob mathau o gemegau. Roeddan nhw wrthi efo wadin a chwyddwydr wedyn."

"Llwch y chwarel wedi mynd i mewn i'r sêffs, ella?"

"Wel, maen nhw wedi cael llond bol ar y lle. Maen nhw am eu symud i gyd i ryw blasty crand yn rhywle rŵan. Maen nhw'n gwrthod deud ymhle, debyg iawn. Chawn ni byth wbod, mae'n siŵr."

"A phryd maen nhw am eu symud?"

"Lorri LMS yn cyrraedd amser cinio fory. Mae'r llwytho

yn mynd i gymryd amser. Maen nhw'n anelu gadael amser cinio dydd Sadwrn. Dydi'r sêffs yn dda i ddim, wrth gwrs. Mae cistiau coed wedi cyrraedd i fyny acw yn barod. Maen nhw wrthi'n lapio popeth mewn sidan a melfed er mwyn eu symud ar y lorri."

"Felly mi fydd y sêffs yn aros yn y chwarel?"

"Mae tair yn gyfan, wrth gwrs, dim ond bod eu hochrau wedi'u tolcio. Ond dydan ni ddim yn cael gwbod am hanes y rheiny, wsti."

"Gest ti gyfle i gael sbec ar y trysorau?"

"Dim ond be ro'n i'n medru ei weld o ben y sgaffaldiau. 'Dan ni ar y gwaith o archwilio nenfwd y siambr, ti'n gweld. O ben y rheiny, 'dan ni'n medru edrych i mewn i'r stordy ac edrych i lawr dros ben y sgriniau maen nhw wedi'u codi o amgylch y sêffs."

"A be ydi hanes y graig?"

"O, dim llawer o broblemau. Nenfwd gadarn iawn yn y siambr yna. Dyna oedd yn neud y cwymp yn hollol annisgwyl, a deud y gwir. Ond 'dan ni'n pegio a gosod cadwyni rhag ofn. Wedyn maen nhw wedi pasio bod yn rhaid gadael y sgaffaldiau yno tra bydd y stordai'n cael eu defnyddio rŵan. Bydd yn rhaid archwilio'r nenfydau yn gyson o hyn ymlaen."

"Uwch ben y stordai eraill hefyd?"

"O ia, y cwbl ohonyn nhw."

"Ond mae'r lluniau i gyd yn ddiogel."

"Ydyn, Nel. Mae gweithwyr y galeri i gyd yn hapus, wsti. Y petha palas yma ydi'r rhai pigog."

* * *

Yn union wedi iddyn nhw gael eu rhyddhau o'r ysgol bnawn Gwener, aeth Sardar i Hafanedd a Nel adref i 9 Tan y Clogwyn. Newid dillad cyflym, sgidiau cryfion am eu traed a brechdan gaws gan Anwen Jones yn llaw bob un, ac roedden nhw'n barod i fynd am Rhiw-bach. "Dim ond mynd â'r ci am dro" oedd yr esgus unwaith eto.

"Tyrd Siw, ti wrth dy fodd ar lwybr y mynydd, yn dwyt?"

O chwarel i chwarel, roedd popeth yn dawel. Lle bu tua phedair mil o weithwyr yn cloddio, rybela a thrin a chario llechi ar un cyfnod, roedd y gweithfeydd i gyd yn llonydd a dienaid.

Daethant o hyd i Mei yn nhomen rwbel Rhiw-bach yn symud rhai o'r crawiau brasaf ac yn chwilio am flociau addawol iddo eu naddu.

Roedd yn rhyw droi ei ben yn awgrymog wrth weld bod Nel yn gwmni i Sardar ac yn gofyn cwestiwn gyda'i aeliau.

"Dwi wedi dweud yr hanes i gyd wrth Nel," meddai Sardar. "Roedd hi wedi amau'r rhan fwyaf, dwi'n meddwl. Mae'n ein nabod ni'n rhy dda."

"Y newyddion da i chi'r ddau lembo gwirion sy wedi mentro pob dim am ddarnau o gerrig a metel," meddai Nel, "ydi nad ydi'r bobol fawr, bwysig sy'n gofalu am betha yn y chwarel ddim yn amau dim. Maen nhw'n derbyn mai cwymp arferol ydi o, a dyna ni."

"Ddwedais i y byddai hynny'n gweithio!" ebychodd Mei.

"Ac mae trysorau'r palas i gyd yn mynd oddi yno fory, yn ôl Brei," meddai Nel.

"Wel, ddim pob dim chwaith, am wn i," chwarddodd Mei.

"A dydyn nhw ddim fel petaen nhw wedi gweld colli'r goron efydd," meddai Nel.

"Mae'n siŵr mai dim ond yr aur a'r arian a'r gemau gwerthfawr sy wedi'u cofnodi," meddai Mei.

"Gadewch i mi'i gweld hi 'ta!" mynnodd Nel.

"Ci-aw! Ci-aw!"

Roedd Cyw Arthur yn galw o uchder yr awyr uwch eu pennau.

Nel gafodd y fraint o agor drws Cwt y Powdwr Du. Roedd yno rai tuniau o bowdwr du o hyd. Y rhaff hir. Y sgrepan.

Estynnodd Nel y sgrepan a'i hagor. Tynnodd y lliain ohoni a'i ddadlapio. Gyda dim ond llafn o olau yn dod i mewn i Gwt y Powdwr Du, ni allai Nel werthfawrogi lliw'r goron. Ond gallai deimlo pwysau'r metel yn ei dwylo. Gallai weld y pigau a gallai ymdeimlo â hynafiaeth y goron.

"Coron y Ford Gron," sibrydodd Nel.

"Gwisga hi," meddai Mei.

Rhoddodd Nel hi ar ei chorun, ond roedd yn llithro dros un glust.

"Mae'n rhy fawr i mi, ond mi ddylai ffitio pen Idwal yn iawn."

"Pwy ydi Idwal?" gofynnodd Mei.

Datgelodd Sardar ei fwriad. Soniodd Nel am y ddrama. Esboniodd Sardar y syniad o roi benthyg y goron i gwmni'r Aelwyd.

"Coron i Lywelyn Fawr, ie?" meddai Mei, gan gnoi cil ar y mater. "Mae'n reit addas hefyd, cofiwch. Ac mae'r syniad y bydd llond neuaddau yn cael gweld y goron eto yn un da, yn tydi?"

"Ond be wnawn ni efo hi wedyn?" gofynnodd Nel.

"Mae Sardar isio ei thaflu i un o lynnoedd Manod," meddai Mei. "Yn union fel y taflwyd cleddyf i'r llyn a'r llaw honno yn ymddangos o'r dyfnderoedd, yn dal y cleddyf a'i dynnu i lawr dan y tonnau."

"Ew, dach chi'n meddwl y byddai yna law yn dod o'r llyn i ddal y goron hefyd?" gofynnodd Nel, yn hollol o ddifri.

Chwarddodd y ddau arall.

"Mae'r ddrama yna wedi mynd i mewn i dy ben di!" meddai Mei.

"Allwn ni ddim ei rhoi hi i unrhyw amgueddfa na llyfrgell," meddai Sardar. "Y peth cyntaf y byddai'r rheiny yn ei wneud fyddai ei gyrru hi'n ôl i Dŵr Llundain i fod yn rhan o gasgliad Ysbail y Goron."

"Dwi wedi rhoi dipyn o amser i ystyried y broblem fach honno," meddai Mei.

"Ia?" gofynnodd Nel yn ddiamynedd. "Be felly?"

Cerddodd Mei allan o'r cwt du. Roedd Cyw Arthur yn galw a galw uwch y mawnogydd. Edrychodd y tri ar yr aderyn yn troelli a gwneud ei gampau yn yr awyr.

"Dwi'n meddwl y dylen ni roi'r goron i Gyw Arthur," meddai Mei yn syml.

"Sut mae neud peth felly?" gofynnodd Nel yn syn.

"Gawn ni weld."

* * *

Y Sadwrn ar ôl yr ymarfer drama, roedd genod Manod wedi bod yn y Forum yn ôl eu harfer ar y boreau hynny.

Erbyn iddyn nhw gyrraedd y Stryd Fawr, gwelsant fod bwrdd wedi'i osod y tu allan i siop y cigydd. Roedd sawl blwch casglu arian ar y bwrdd a Gordon John yn rhannu'r rheiny i wirfoddolwyr.

"Dewch, genod," meddai Gordon wrthynt, cyn iddyn nhw gael cyfle i droi i'r dde i gyfeiriad Manod. "Cyfraniad bach at yr achos."

"Pa achos tro yma, Gordon?"

"Dydi hi 'rioed yn 'Warship Week' eto fyth?" gofynnodd Nita.

"Na, 'Wings for Victory' ydi hi yr wythnos yma," esboniodd Gordon. Ysgydwodd ei flwch casglu dan drwynau'r genod. "Rhodd i Mr Churchill i brynu awyren Lancaster arall i fynd i'w bomio nhw yn yr Almaen."

"Rargol, does gen i ddim pres ar ôl. Ti ddim yn dallt ei bod hi'n adeg rhyfel?" meddai Gwenda.

"Ydw siŵr. Ond mae isio neud yn saff ein bod ni'n ei hennill hi, yn does. Mi welsoch chi'r ffilm gynta 'na yn y Forum. Welsoch chi'r awyren Lancaster fawr yna wedi'i gosod yng nghanol Sgwâr Trafalgar. Rhaid i'r wlad 'ma gael mwy o bres i neud bomars, a ..."

"Does yna ddim llawer ers pan oedd Churchill yn condemnio Hitler i'r cymylau am ei fod o'n creu lladdfa a chwalfa anystyriol yn y Blits," meddai Nel.

"Ond mae hyn yn wahanol, siŵr," mynnodd Gordon. "Y ni sy'n cael eu bomio nhw rŵan."

"A bomio ysbytai ac ysgolion, plant a hen bobol?" heriodd Nel.

"Mi wnaethon nhw hynny i ni. Eu tro nhw ydi'i chael hi

heddiw. 'Poetic justice' – dyna oedd y ffilm yn ei ddeud," atebodd Gordon.

Ar hynny, daeth hen wraig a sbaniel bach du ar hyd y Stryd Fawr, yr ochr arall i'r ffordd.

Cododd bwlteriar y cigydd oddi ar ei ben-ôl o dan y bwrdd a chwyrnu a chyfarth ar y gelyn yr ochr draw.

Cyfarthodd y sbaniel yn ôl yn gyffrous.

O gyfeiriad Manod, roedd lorri LMS yn dod â'r llwyth o chwarel Bwlch Slatars.

Daeth Sardar allan o'r siop ffrwythau yr ochr arall i'r stryd.

Gwylltiodd y bwlteriar wrth gael ei herio gan y sbaniel. Cythrodd amdano, gan ddechrau rhoi gwib ar draws y ffordd.

Doedd y lorri LMS ddim yn arafu dim a'r dreifar yn ymwybodol pa mor bwysig oedd y llwyth yr oedd yn ei gario.

Gwaeddodd Gordon John ar ei Churchill i ddod yn ôl.

Cyfarthai a dawnsiai'r sbaniel du yr ochr draw i'r stryd ac yn ei flaen yr aeth y bwlteriar. Ond nid oedd yn medru ei symud hi'n gyflym iawn ...

Rhedodd Sardar o ddrws y siop ffrwythau, ysgubo'r bwlteriar trwm i'w freichiau a'i gario i ddiogelwch. Teimlodd wynt y lorri LMS yn ysgwyd ei gôt wrth iddo roi'r naid olaf allan o'r ffordd.

Trosglwyddodd Sardar y ci i freichiau Gordon John.

Edrychodd mab y cigydd yn syn arno. Nid oedd yn medru dweud gair. Edrychodd ar y tyrban ar ei ben. Edrychodd ar y darn moel oedd ar dalcen y tyrban.

Trodd ar ei sawdl a chario'r ci i mewn i'r siop gig.

Pennod 7

"Annwyl gyfeillion, mae'n rhoi pleser mawr imi estyn croeso cynnes ichi i gyd yma heno i gyflwyniad dramatig cynta Aelwyd yr Urdd, Blaenau Ffestiniog. Dwi'n siŵr y byddwch chi'n cytuno efo mi erbyn diwedd y noson y bydd rhai ohonyn nhw'n sêr ar sgrin fawr y Forum cyn hir!"

Richard Jones oedd yn annerch y dyrfa cyn y perfformiad. Roedd y ganolfan dan ei sang. O'i safle ar ochr y llwyfan yn dal rhaff y llenni yn ei ddwylo, gallai Sardar weld Miss Marian a Miss Elen ryw dair rhes i ffwrdd oddi wrtho. Miss Elen oedd wedi prynu'r ddau docyn, wrth gwrs.

"Mae isio craffu ar wastraffu!" Dyna oedd geiriau Miss Marian pan ddwedodd fod arian yn brin. Ond, chwarae teg iddi, mi ofynnodd i Sardar am ei lyfr bach nodiadau yn syth ar ôl dweud hynny a sgwennu'r ymadrodd ynddo.

Y tu ôl iddyn nhw roedd Anwen Jones, yna rhyw ddwy sedd oddi wrthi, Mr Kahn – oedd wedi cael tocyn am ddim oherwydd ei haelioni. Ond aelod pwysicaf y gynulleidfa'r noson honno yng ngolwg Sardar oedd Meirion Ddu. Taflodd gip i'w gyfeiriad. Eisteddai reit yng nghefn y neuadd, ei wallt modrwyog yn gorwedd ar ei ysgwyddau a rhyw olwg benderfynol ar ei wyneb. Aeth yr arweinydd yn ei flaen:

"Diolch i John Ellis Williams am y sgript. Oherwydd ei alwadau, mae'n ofid gennym nad ydi'n bosib iddo fod yn bresennol heno – fel amryw eraill o fechgyn a merched yr

ardal. Diolch hefyd i bobol yr ardal sydd wedi cynorthwyo –
Leusa a Siân efo'r gwisgoedd, Beryl efo'r coluro a Mr Kahn o
Neuadd y Farchnad am gawgiau, canhwyllau, crochan a
choron.

"Mae'r ddrama hon yn mynd â ni yn ôl i oes arall. Cyfnod
Tywysogion Cymru. Oedd, roedd hwnnw'n gyfnod cythryblus
gyda'i siâr o ormes a brwydrau hefyd. Ond mwynhewch y
stori yng nghwmni'r criw ifanc yma, a diolch am eich
cefnogaeth.

"Byddan nhw'n cynnal nifer o berfformiadau dros yr
wythnosau nesa. Rydan ni wedi cael gwahoddiadau eisoes i
fynd â hi i Benrhyndeudraeth, Trawsfynydd a Dolwyddelan.
Yna, byddant yn cystadlu yng nghystadleuaeth ddrama'r sir
yn Nolgellau ddechra mis Mai."

Bu curo dwylo gwresog. Diffoddwyd golau'r neuadd.
Cafodd Sardar ei giw ac agorodd y llenni. Aeth ochenaid o
edmygedd drwy'r gynulleidfa wrth werthfawrogi crefft y set
a'r lliwiau a'r lluniau yn y paentiad o dapestri oedd yn cyfleu
neuadd Llywelyn yng nghastell Dolwyddelan.

Symudodd y chwarae yn gyflym drwy olygfeydd y wledd,
darganfod y llofruddiaeth ac yna gwaith ditectif y mynach
wrth iddo holi'r gwahanol gymeriadau. Yna daeth yr olygfa lle
roedd y Mynach yn datrys y dirgelwch.

MYNACH: Ond er bod gan amryw yng nghastell
Dolwyddelan gymhelliad i lofruddio'r Norman, nid un
ohonyn nhw sy'n euog. Rydyn ni wedi anghofio pwy
oedd fod eistedd yn y gadair. Hywel Cynwal y bardd
oedd i fod eistedd ar law dde'r tywysog. Daeth rhywun i'r

neuadd gan drywanu'r un oedd yn eistedd yn y gadair honno, heb wybod mai'r Norman oedd yno bellach.

LLYWELYN: Ond pwy fyddai eisiau lladd Hywel, bardd y llys?

MYNACH: Bradwr yw Hywel. Mae'n gwerthu cyfrinachau i'r Normaniaid ...

HYWEL: Celwydd, o ddifri calon!

MYNACH: Mae'n crwydro'r wlad. Mae'n adnabod y cestyll. Mae'n gwybod pa mor gryf ydi byddin y tywysog. Y fo wnaeth roi'r arwydd i'r ymosodiad hwn ar Bowys. Ac roedd Angharad, un o'r ffoaduriaid, yn gwybod. Roedd wedi'i weld yn cyfarfod â'r Normaniaid wrth y rhyd ar afon Hafren rai dyddiau yn ôl ...

LLYWELYN: Filwyr, daliwch Angharad. Ewch â hi i'r gell yng ngwaelod y tŵr. A rhwymwch Hywel hefyd.

MYNACH: Pwyll! Ti, Malan y forwyn – dos at gorff y Norman yn ei gadair y tu draw i'r llen yna. Agor ei gôt ac mi weli arf wedi'i guddio yno. Tyrd ag o yma.

LLYWELYN: Arf? Amhosib! Mae'r gwesteion i gyd wedi ildio eu harfau cyn y wledd.

MYNACH: Nid hwn. Dyna pam ei fod eisiau eistedd wrth dy law dde. Roedd cynllwyn i dy ladd di ymysg y Normaniaid heno.

MALAN: Cyllell hir! Dyma hi – roedd y gyllell yma ganddo y tu mewn i'w gôt!

MYNACH: Mae Angharad wedi achub dy fywyd di, Llywelyn ...

Roedd clo dramatig i'r ddrama wrth i'r Cymry ddal y Normaniaid a Hywel Cynwal a'u bwrw i gell. Yna cerddodd y mynach at ochr y llwyfan, edrych ymhell tua chefn y neuadd, cyn hanner sibrwd ei eiriau olaf:

"Yma o ben tŵr castell Dolwyddelan, rwy'n gallu gweld yr hen fynyddoedd a'r hen greigiau garw. Mae lloches yma. Diogelwch. Ond yma hefyd mae bygythiad. Mae yma rai sy'n rhwygo'r wlad a defnyddio'i phobol er mwyn elw. Tra bo'r rheiny'n cael penrhyddid, bydd y wlad yn llanast am amser maith i ddod."

Diffoddodd y golau.

Caeodd Sardar y llenni.

Cafwyd cymeradwyaeth fyddarol yn y neuadd.

Agorodd Sardar y llenni drachefn. Cyneuwyd lampau'r llwyfan a daeth cwmni'r Aelwyd ymlaen i gydnabod y gymeradwyaeth, gwenu a bowio. Roedd y curo dwylo'n parhau yn hir ar ôl i'r llenni gau am y tro olaf.

Yng nghanol y cyffro ar ddiwedd y perfformiad, roedd rhieni'n disgwyl am eu plant a chynorthwywyr yr Aelwyd yn ceisio cael trefn ar y dillad a'r props.

"Gwynfor!" galwodd Richard Jones. "Paid â mynd adre yn gwisgo fel mynach."

Edrychodd Gwynfor ar ei wisg yn syn. Roedd wedi mynd dan groen ei gymeriad ac wedi anghofio ei fod yn gwisgo abid.

"O ie! Yr abid!" meddai. "Roeddwn i'n teimlo'n gyfforddus ynddi, a deud y gwir."

"Gad hi yn y fasged o flaen y llwyfan," meddai Richard. "Mi fyddwn angen cadw'r cyfan gan ein bod ni yn Nolwyddelan nos Sadwrn nesa. O, Sardar ..."

Galwodd arno i ddod draw i gasglu'r cawgiau a'r llestri a'r canwyllbrennau at ei gilydd oddi ar y llwyfan. Yna trodd Richard Jones at Mr Kahn oedd yn wên o glust i glust yn siarad gyda Nel.

"Diolch i chithau, Mr Kahn, am roi benthyg popeth inni. Ydi'n iawn inni eu cadw am rai wythnosau?"

"Croeso, croeso!" meddai'r siopwr. "Falch o gael helpu. Roedd yn brofiad gwych i'r bobl ifanc. Ac yn bleser i ninnau y to hŷn. Ac roedd y neges ar y diwedd yn mynd at fy nghalon i. Mae'n wir wyddoch chi, mae trais a gormes yn y byd o hyd."

"Diolch ichi am y geiriau," meddai Richard. "Wn i ddim lle fydden ni hebddoch chi – y llestri haearn, crochenwaith, y canhwyllau, heb sôn am y goron ..."

Ar hynny, gwelodd Idwal yn croesi'r neuadd gyda'r goron am ei ben o hyd a rhedodd ar ei ôl.

"Coron?" meddai Mr Kahn yn ddryslyd wrth Nel. "Ond nid y fi wnaeth roi ..."

"Richard Jones sy dipyn yn gyffrous," meddai Nel gyda gwên. "Wedi drysu 'chydig, a phopeth wedi mynd gystal yma heno."

Roedd Sardar wrthi'n plygu dros un o'r basgedi yn llwytho'r offer llwyfan pan synhwyrodd gysgod wrth ei ymyl. Trodd a gweld Gordon John yno, heb Jac.

Sythodd Sardar i'w wynebu.

"Gan dy fod di wrthi'n cadw petha, gen i un peth arall i ti," meddai Gordon John. Aeth i'w boced a thynnu bathodyn arian ohoni. Estynnodd hwnnw i Sardar a cherddodd am y drws ac allan i'r stryd.

Edrychodd Sardar ar y bathodyn yn ei law. Bathodyn llewod

y Punjab. Eiddo brawd ei daid. Gosododd y bathodyn ar dalcen ei dyrban ac aeth draw at Nel i ofyn iddi gau'r pin iddo.

"Dyna ti," meddai Nel. "Rwyt ti'n dipyn o lew y Punjab dy hun, yn dwyt ti!"

"Mae pawb yn y Punjab yn llew, Nel," atebodd Sardar. "Rydan ni i gyd yn llewod gyda'n gilydd yn y wlad honno."

* * *

Cyn bod y ddrama wedi dod i ben ei thaith, daeth llythyr o Fanceinion gan rieni Sardar. Roeddent wedi cael dwy ystafell mewn tŷ ar gyrion y dref. Er bod gan ei dad dipyn o daith i fynd i'w waith ac y byddai ei ddiwrnod yn un hir, roedd yn fodlon gwneud hynny er mwyn cael y teulu'n ôl at ei gilydd.

Daeth y dyddiad, a daeth y tocyn trên.

Roedd Nel ac Anwen Jones yn disgwyl wrth y giât yn Hafanedd i'w helpu i gario rhai bagiau.

"Mae pawb mor garedig," meddai Sardar, wrth gario'r bagiau o'i lofft atyn nhw. "Mae pobl wedi cario dillad imi, a bwyd i'r daith, a llyfrau rhag i mi golli fy Nghymraeg ..."

Trodd i ddiolch i Miss Elen a Miss Marian oedd yn sefyll ar riniog y drws.

"Diolch am bopeth rydych chi wedi'i roi i mi," meddai'r llanc.

"Ti sydd wedi rhoi popeth i ni," meddai Miss Elen. "Rwyt ti wedi ein neud yn deulu."

Roedd y dagrau'n llifo i lawr wyneb Miss Marian. Doedd hi ddim yn medru dweud gair, ond aeth i boced ei ffedog, estyn rhywbeth a'i wasgu i law Sardar a chau ei ddwrn amdano. Pan agorodd Sardar ei law, edrychodd mewn syndod ar bapur deg swllt.

"Ond … does dim eisiau …"

"Dos, Sardar," meddai Miss Elen. "A phob dymuniad da iti."

Wrth giât yr orsaf drên, roedd criw'r Aelwyd wedi ymgynnull i ffarwelio ac i rannu'u hanrhegion. Ar y funud olaf, gwelsant Mr Kahn yn rhedeg atyn nhw o Stryd yr Eglwys.

"Rhag ofn y bydd hi'n dywyll arnat ti ym Manceinion!" meddai'r siopwr, gan estyn tair cannwyll iddo o'i boced. "Cofia fod golau cynnes yn dy ddisgwyl yn Stiniog bob amser."

Galwodd y giard ar i'r teithwyr fynd am y trên.

"Tocynnau yn unig ar y platfform," meddai.

Trodd Sardar at Nel a rhoi darn o bapur wedi'i blygu iddi.

Agorodd y ddalen. Arno roedd llun ohoni hi yng nghymeriad Angharad yn ei dillad llwyfan. Gydag un ychwanegiad. Ar ei phen roedd Coron Arthur.

Gwenodd Nel drwy ddagrau bach oedd yn mynnu llenwi'i llygaid.

Sgrechiodd olwynion wrth i gar llydan, llychlyd droi'r gornel i'r orsaf o'r Stryd Fawr.

Creithiau oedd wrth y llyw. Yn y sêt gefn, roedd Doctor Edwards yn edrych mor ddigyffro ag erioed. Sgrialodd y car at fynedfa'r orsaf, stopio'n stond nes bod y teiars yn protestio a'r gro mân yn tasgu. Sgwariodd Creithiau'r car drwy ei yrru'n ôl i barcio wrth y ffens bren. Clec! Roedd car y doctor yn y ffens.

Agorodd y drws a chamodd Meirion Ddu o'r sedd agosaf at y doctor. Roedd ganddo garreg gwarts wen gymaint â dwrn yn ei law. Cerddodd at Sardar a'i rhoi iddo.

Chwibanodd y giard. Roedd hi'n amser gadael.

Epilog

Ganol Mai, ac roedd defod arbennig yn cael ei chynnal ar y mawndir wrth olion hen bentref Rhiw-bach.

Roedd merch ifanc o Dan y Clogwyn wedi cyrraedd yno gyda'i daeargi bywiog. Cariai sach liain yn ofalus.

Gwelodd gŵr hwy'n dod o bellter. Gwisgai ddillad chwarelwr, gyda'i wallt modrwyog tywyll ar ei goler ac roedd sgrepan ar ei gefn.

"Heddiw amdani?" meddai wrthi.

Nodiodd Nel ei phen.

"Ci-aw! Ci-aw!"

Oedodd y ddau i edrych ar y frân goesgoch yn gwneud ei champau yn yr awyr glir.

"Dydi galw'r aderyn yna yn Cyw Arthur ddim digon da," meddai Mei. "Rhaid iddo gael enw iawn."

Nodiodd Nel ei phen eto.

Cerddodd y ddau, yn ôl y trefniant at fynedfa simnai'r gwynt uwch lefel uchaf chwarel Rhiw-bach.

Tynnodd Mei'r rhaff o'r sgrepan.

"Wyt ti am fynd i lawr?" gofynnodd i Nel.

Nodiodd hithau eto. Daliai Mei ei phwysau wrth iddi fynd i lawr wyneb y graig i led dywyllwch y simnai.

"Paid â mynd yn rhy isel," galwodd Mei. "Mae'r brain yma'n hoffi 'chydig o olau dydd."

Gwelodd Nel silff lydan yn y simnai, yn rhedeg yn ôl i gesail y graig.

Agorodd enau'r sach liain. Tynnodd gylch efydd ohoni. Coron Arthur. Gosododd hi ar y silff garreg. Rhoddodd ei llaw yn ôl yn y sach a thynnu brigau mân, sych ohoni a'u gosod fel nyth yn y goron, gan roi haen o fwsog a gwlân mân o'i mewn.

Dringodd yn ôl allan o'r simnai.

"Ci-aw! Ci-aw!" galwai'r frân, yn union uwch twll y simnai.

"Wn i am enw da i Gyw Arthur," meddai Nel.

"Be sy gen ti i'w gynnig?" gofynnodd Mei.

"Sardar."

Cydnabyddiaeth

Diolch i lawer am sgyrsiau gwerthfawr ar gefndir chwareli Penmachno a Blaenau Ffestiniog – ac yn arbennig i Arthur Thomas, Vivian Parry Williams, Gruff Rutigliano ac Elin Siop yr Hen Bost. Bu staff ac adnoddau Llyfrgell y Blaenau o gymorth mawr hefyd. Cefais fenthyca cyfrol o luniau o stordai chwarel Bwlch Slatars gan Nigel Hughes, Porthmadog – cymorth gweledol a ffeithiol arbennig. Diolch i Alun Jones, Chwilog yntau am sgyrsiau difyr a nifer o awgrymiadau.

Roedd ymweld ag Amgueddfa Lerpwl, a gweld y casgliadau sy'n darlunio effaith yr Ymerodraeth Brydeinig ar ddiwylliannau a gwledydd ledled y byd, yn ysbrydoliaeth. Mae'r un peth yn wir am gyfarfod â chriw o Indiaid llawen o ganolbarth Lloegr oedd yn dathlu gŵyl flynyddol drwy gael taith fferi hwyliog a cherddorol ar afon Merswy.

Diolch hefyd i Surinder K. Channa, aelod o gymuned y Siciaid, Caerdydd, am fwrw golwg dros y darlun o hanes y Punjab a chymeriadau'r Siciaid yn y testun. Diolch i Lowri Ifor o'r wasg ac Anwen Pierce o'r Cyngor Llyfrau am eu golygu manwl a'u hawgrymiadau gwerthfawr.

Hanes Rhiw-bach a'r diwydiant llechi
Taith drwy grombil chwarel Rhiw-bach: Go Below
Plwyf Penmachno, Vivian Parry-Williams, Gwasg Carreg Gwalch, 1996
Gellir ymweld â cheudyllau llechi tanddaearol Llechwedd ym Mlaenau Ffestiniog; hefyd mae llawer o brofiadau gwych i'w cael yn yr Amgueddfa Lechi Genedlaethol yn Llanberis.

Hanes y Siciaid:
A History of the Sikhs, Cyfrol 2, 1839–2004, Khushwant Singh,

Princetown University Press, 1966

Gwefannau amrywiol am 'Kabaddi Rules'

Rediscovering Ghandi, Yogesh Chadha, Century, 1997

Inglorious Empire – What the British did to India, Shashi Tharoor,
Penguin, 2017

The Jallianwala Bagh Massacre, Savita Narain, Lancer Publishers 2013

The Sikhs in Britain, Peter Bance, Sutton Publishing, 2007

Koh-i-Noor – The History of the World's Most Infamous Diamond, W.
Dalrymple & A. Anand, Bloomsbury, 2017

Yr Ail Ryfel Byd

Y Rhedegydd, papur wythnosol Blaenau Ffestiniog, 1939–1943

Iancs, Conshis a Spam – Atgofion Menywod o'r Ail Ryfel Byd, (gol.)
Leigh Verrill-Rhys, Honno, 2002

Saving Britain's Art Treasures, W.J. McCamley, Leo Cooper, 2003

'Manod Caverns', Emyr Williams a Nigel Hughes, taflen diwrnod
agored, 24 Medi 1983

Our Backyard War – West Merioneth in World War II, Les Darbyshire,
Y Lolfa, 2015

Hanes Coron y Brenin Arthur

A Great and Terrible King – Edward I, Marc Morris, Hutchin, 2008

'Croes Naid', T. H. Parry-Williams yn *Y Llinyn Arian*, cyfrol Urdd
Gobaith Cymru, 1947

Aelwyd yr Urdd, Blaenau Ffestiniog

Prynwyd ac addaswyd y Central Hall yn y Blaenau gan yr Urdd yn 1939.
Cafodd ei hagor yn ganolfan i'r mudiad yn Chwefror 1940. Mae'r hanes
yn adroddiad J. Ellis Williams (Cadeirydd yr Aelwyd) yn *Y Rhedegydd*,
9 Chwefror 1940.

Nodyn gan yr awdur

Dychmygol yw pob cymeriad yn y nofel hon ac eithrio dau ohonyn nhw. Roedd J. Ellis Williams (1901–75) yn athro a phrifathro yn ysgolion cylch Blaenau Ffestiniog nes iddo ymddeol yn 1961. Yn enedigol o Benmachno, daeth yn awdur toreithiog – llyfrau plant, dramâu, sgript *Y Chwarelwr* (y ffilm gyntaf yn Gymraeg) a dramâu radio a addaswyd yn ddwy gyfres o nofelau ditectif. Dychmygol yw'r ddrama a gyflwynir yn y nofel hon.

Yr ail gymeriad sy'n seiliedig ar berson go iawn yw Mr Kahn, yr haearnydd yn Neuadd y Farchnad. Cyrhaeddodd y Blaenau yn ffoadur adeg y lladdfa fawr yn Armenia wedi'r Rhyfel Byd Cyntaf. Daeth yn siopwr, dysgodd Gymraeg yn rhugl a daeth yn aelod poblogaidd o gymdeithas y dref.

Yn ystod yr Ail Ryfel Byd, dioddefodd llawer o ddinasoedd dan y polisi o fomio o'r awyr. Er bod 'targedau milwrol' yn cael eu henwi, y gwir oedd bod degau o filltiroedd sgwâr o ardaloedd poblog yn cael eu gwastatáu heb ystyriaeth o blant, merched, henoed, cleifion mewn ysbytai a'r boblogaeth sifil. Dechreuwyd bomio Lerpwl yn 1940 a chyn diwedd y cyrchoedd bu farw 4,000 o bobl yno. Lladdwyd 355 yng Nghaerdydd a 230 yn Abertawe gan ymosodiadau o'r awyr. Collwyd tua 30,000 o drigolion Llundain. Lladdwyd cyfanswm o 43,000 drwy wledydd Prydain.

Erbyn i awyrennau'r Bomber Command o Loegr orffen chwalu dinasoedd yr Almaen yn ail hanner y rhyfel, roedd

Adfeilion Rhiw-bach heddiw

600,000 o bobl wedi'u lladd yno.

Mae ardal Blaenau Ffestiniog yn un o brif gynhyrchwyr llechi yng Nghymru – ac yn y byd ar un adeg. Agorwyd tua deg ar hugain o chwareli yn yr ardal, gyda'r rhan fwyaf ohonynt yn rhai tanddaearol. Tyfodd y dref i fod â phoblogaeth o 12,000 ar ei hanterth, heb gyfri'r lojars oedd ym mhob twll, cornel a seler yno, gyda thua 4,000 yn gweithio yn y chwareli. Chwarel yr Oakeley oedd y chwarel danddaearol fwyaf yn y byd – roedd yn agos i hanner can milltir o ffyrdd haearn i'r wageni ar y gwahanol lefelau yno, gyda'r lefel isaf yn is na lefel y môr.

Er bod pentref Rhiw-bach dros 1300 troedfedd (400m) uwch lefel y môr, mae tystiolaeth bod chwarelwyr yn byw yno mor gynnar ag 1835. Cynhaliwyd eisteddfodau cadeiriol, ysgol Sul a chymdeithas lenyddol yno, a sefydlwyd ysgol dan nawdd y

Pwyllgor Addysg o 1908 hyd 1913. Roedd 37 yn byw yn y barics ac 88 yn byw yn y tai yn Rhiw-bach yn 1905 a thua 200 yn gweithio yn y chwarel.

Talaith y Punjab yng ngogledd-orllewin India yw cartref y Siciaid. Maent yn cael eu huno gan ffydd grefyddol arbennig a hefyd gan eu hanes fel teyrnas annibynnol. Nodir rhai penodau o'u hanes yn y nofel – eu gwrthryfeloedd yn erbyn rheolaeth o Lundain, colli gafael ar ddiamwnt y Koh-i-Noor a lladdfa Jallianwala Bagh, 1919. Chwalwyd diwydiant cotwm y wlad gan yr ymerodraeth a bu tlodi enbyd yno, gan gynnwys sawl newyn. Cyn cael eu rheoli o Lundain, ni fu yr un newyn yn India. Bu farw tua 35 miliwn o bobl o newyn yno dan reolaeth Llundain – gan gynnwys 3 miliwn yn 1943 pan aeth Churchill â'r cynhaeaf oddi yno.

Stordy Rhif 2 yn Chwarel Bwlch Slatars heddiw

Cynyddodd y nifer o dlodion India, gan gynnwys y Siciaid, a ddefnyddiodd eu hawl i ddod i Brydain i chwilio am waith ar ôl 1919. Daeth llawer i weithio mewn diwydiannau dillad. Yn 1947, enillodd India annibyniaeth o Lundain ond rhannwyd talaith y Punjab wrth greu ffin newydd rhwng Pacistan ac India. Er gwneud sawl cais amdano, nid yw India wedi llwyddo i gael Trysorfa'r Goron yn Llundain i ddychwelyd y diamwnt mawr eto.

Bu sawl ymgais i geisio dychwelyd trysorau tywysogion Cymru yn ôl i'n gwlad hefyd. Yr ateb swyddogol ynglŷn â'r rhain, gan gynnwys Coron Arthur, yw nad yw'r awdurdodau yn Llundain yn gwybod lle maen nhw.

Adeiladwyd stordai i gartrefu lluniau o'r Galeri Genedlaethol yn Llundain yn lefel uchaf chwarel Bwlch Slatars yn 1940–41. Erbyn 16 Medi 1941, roedd tua 2,000 o luniau yno. Yna, cyrhaeddodd nifer o 'sêffiau cyfrinachol' y chwarel. Ar 9 Mawrth 1943 bu cwymp uwch stordy Rhif 2 pan ddisgynnodd cerrig mawr o'r nenfwd a chwalu cefn y stordy. Gwagiwyd yr adeilad gan ei ddefnyddio fel gweithdy am weddill y rhyfel. Bu'r stordai yn nwylo'r Weinyddiaeth Ryfel hyd 1982. Dychmygol yw dehongliad y nofel o'r hyn oedd y tu ôl i'r cwymp.

Nofelau â blas hanes arnyn nhw

Straeon cyffrous a theimladwy wedi'u seilio ar ddigwyddiadau allweddol

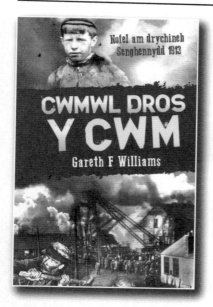

Enillydd Gwobr Tir na-nOg 2014

CWMWL DROS Y CWM
Gareth F. Williams

Nofel am drychineb Senghennydd 1913

Gwasg Carreg Gwalch
£5.99

Ychydig cyn 8.30 y bore ar 14 Hydref 1913, bu farw 439 o ddynion a bechgyn mewn ffrwydrad ofnadwy yng nglofa Senghennydd yn ne Cymru.

Dim ond wyth oed oedd John Williams pan symudodd ef a'i deulu o un o bentrefi chwareli llechi'r gogledd i ardal y pyllau glo. Edrychai ymlaen at ei ben-blwydd yn dair ar ddeg er mwyn cael dechrau gweithio dan ddaear. Ond roedd cwmwl du ar ei ffordd i Senghennydd ...

DARN BACH O BAPUR
Angharad Tomos

Nofel am frwydr teulu'r Beasleys dros y Gymraeg 1952-1960

Gwasg Carreg Gwalch

£5.99

Rhestr fer Gwobr Tir na-nOg 2015

Y GÊM
Gareth F. Williams

Nofel am yr ysbaid o heddwch a gafwyd ar Ddydd Nadolig 1914, yn ystod y Rhyfel Mawr

Gwasg Carreg Gwalch

£5.99

Enillydd Gwobr Tir na-nOg 2015

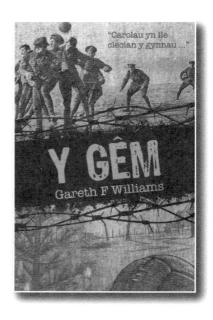

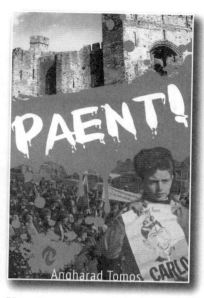

PAENT!
Angharad Tomos

Nofel am Gymru 1969 – Cymraeg ar arwyddion ffyrdd a'r Arwisgo yng Nghaernarfon

Gwasg Carreg Gwalch
£5.99

Yn y Dre mae pawb wrthi'n peintio, ond peintio adeiladau maen nhw ...

Mae cannoedd o bunnoedd wedi eu gwario ar baent. Paent gwahanol sy'n llenwi byd Robat ac yn newid ei fywyd mewn tri mis. Ond o ble mae'r paent yn dod, a phwy sy'n peintio? 1969 ydi hi, blwyddyn anghyffredin iawn ...

Rhestr fer Gwobr Tir na-nOg 2016

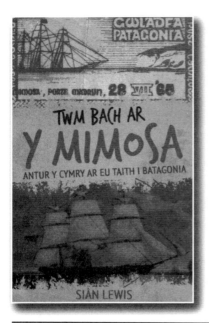

TWM BACH AR Y MIMOSA
Siân Lewis

Nofel am antur y Cymry ar eu taith i Batagonia yn 1865

Gwasg Carreg Gwalch
£5.99

YR ARGAE HAEARN
Myrddin ap Dafydd

Dewrder teulu yng Nghwm Gwendraeth Fach wrth frwydro i achub y cwm rhag cael ei foddi

Gwasg Carreg Gwalch
£5.99

Rhestr fer Gwobr Tir na-nOg 2017

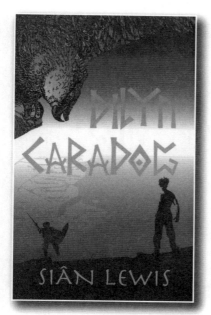

DILYN CARADOG
Siân Lewis

Y Brythoniaid yn gwrthsefyll Ymerodraeth Rhufain dan arweiniad Caradog, ac un llanc yn dilyn ei arwr o frwydr i frwydr nes cyrraedd Rhufain ei hun

Gwasg Carreg Gwalch
£5.99

MAE'R LLEUAD YN GOCH
Myrddin ap Dafydd

Tân yn yr Ysgol Fomio yn Llŷn a bomiau'n disgyn ar ddinas Gernika yng ngwlad y Basg – mae un teulu yng nghanol y cyfan

Gwasg Carreg Gwalch
£5.99

Enillydd Gwobr Tir na-nOg 2018

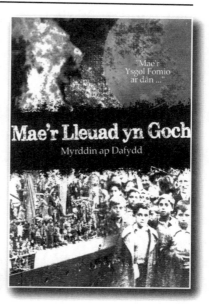

GETHIN NYTH BRÂN
Gareth Evans

Yn dilyn parti Calan Gaeaf, mae bywyd Gethin (13 oed) yn troi ben i waered. Mae'n deffro mewn byd arall. A'r dyddiad: 1713.

Yno mae'n cyfarfod Guto, llanc o'r un oed, ac mae'n cael lloches ar ei fferm, Nyth Brân. Gall Guto redeg fel milgi, mae'n ddewr ac yn bopeth nad yw Gethin.

Yn raddol, mae Gethin yn dod i sylweddoli nad yw byd Guto mor anghyfarwydd wedi'r cyfan. Ond yn bwysicach, mae'n dod i sylweddoli nad yw ef ei hun yn gymaint o lipryn ag yr oedd wedi tybio.

Rhestr fer Gwobr Tir na-nOg 2018

Gwasg Carreg Gwalch
£5.99

GWENWYN A GWASGOD FELEN
Haf Llewelyn

Mae'n edrych yn dywyll ar yr efeilliaid Daniel a Dorothy a'r ddau wedi'u gadael yn amddifad. Ai'r Wyrcws yn y Bala fydd hi? Ond caiff Daniel waith yn siop yr Apothecari ...

Gwasg Carreg Gwalch
£6.99

HENRIÉT Y SYFFRAGÉT
Angharad Tomos

"Dydw i ddim eisiau dweud y stori ..." Dyna eiriau annisgwyl Henriét, prif gymeriad y nofel hon am yr ymgyrch i ennill pleidlais i ferched ychydig dros gan mlynedd yn ôl.

Gwasg Carreg Gwalch
£6.99

PREN A CHANSEN
Myrddin ap Dafydd

"y gansen gei di am ddweud gair yn Gymraeg ..."

Mae Bob yn dechrau yn Ysgol y Llan, ond tydi oes y Welsh Not ddim ar ben yn yr ysgol honno.

Gwasg Carreg Gwalch
£6.99

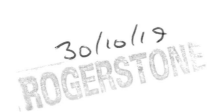